자코메티의 긴 다리들에게

김추인 시집

서정시학

시인의 말

사막은
길이 없어 다 길이었다

길을 나서면
길이 먼저 길을 내주었고
바람이 등을 밀어 주었다

천번을 미워하면
만번을 안아주던

우리별, 아- 어머니

붉은 사막, 나의 우주에 앉아
어머니 속울음을
다중의 내가 듣는다

불이헌에서

차 례

2부 장미의 침묵

1부

거울
— homo iousian

비어서 가지런하구나, 유리의 집
그대의 화법을 배우고 싶다

수수만만 저 빛의 점들
어떤 빛의 손이 닿아
평면 위 3D, 입체의 좌표를 찍는 것이냐

붉은 사과의 곡면과 번쩍이는 나이프의 빛 튀김까지 필사해 옮긴 것
이냐

거울 속에는 칼을 든 내가 있고 살의를 숨긴 내 이중적 심상이 늑골
아래 감춰져 있음을 누구도 아는 척 않는다만

그대는 흰 속살을 드러낸 사과의 유혹을 아는 게야 향그로운 홍옥의
맨살을 정확히 좌표 찍고 재현해 내는 것이

일순간에 색들이 옮겨지고 살결의 각도를 따라 한 점 한 점 카피되었
을 거울의 점묘법

복제된 허수의 내가 유리의 스크린 속에서
씨익- 웃고 있는 나는 메타버스 속
나? 아냐 내가 아닌
왼손잡이의 저 홀로그램 좀 봐봐

별 여행자의 니르바나
— homo viator

행성의 사소한 밤을 위하여
별이 빛나고
바람이 서늘합니다
아직 신성의 말씀은 멀고
빛의 나라에선
아무 메시지가 없습니다
나, 선택한 바 없으나 모든 것이 나로 인했고 내가 되었습니다. 다중
우주를 넘보는 나는 모래알 우주, 티끌

좀생이별이 멀리서 웃습니다
썩소는 아니고요
빙긋, 빙그레
두어 번 더 반짝였거든요

머나먼 반짝임은 물리적 신성의 영역, 파동이 선행파를 밀며 넘으며
밀어가 닿을
빛의 문을 생각케 합니다
과거도 미래도 없는 현재가 아득히 펼쳐진 평행우주의

우리별을 타고 황도의 마지막 트렉을 도는 나는
사막을 떠도는 에우리알레,
서른한 번째, 최후의 윤회를 끝내면
아무것도 아닌 '無'
눈부신 빈 자리, ' '일 것입니다 '無'조차 없는

아주 느린 편지
— homo commercium

나는 우편 배달부가 꿈이었소
안되면 등대지기라도
꿈이라는 것이야 실현 불가, 십상이지만
생각해낸 것이 비현실을 재연해봐?!

'어두운 방' 작업을 위해
'밝은 방' 재현이 먼저라는 사실은 당연하오
어떤 작업이든 긴 기다림,
숙성제의 출현을 알기 때문이오

모래의 사막 위에 멀리 캔버스를 세우면
아득히 흔들리는 하늘이 되오
신기루처럼 바다처럼

머나먼 캔버스를 치워 보시오
하늘도 바다도 신기루도 사라지는
무無

모래의 도화지 위에 검은 점 하나 찍혀 있소
나는 그렇게 서 있었소
백 년 후의
나에게 하얗게 비어있는 편지를 보내고 싶소

케나가 노래할 신기루
— homo opiniosus

　가리라 내 안식의 땅, 아득히 외 발자국 길을 내어 침묵을 찍다가 낙타처럼 내가 모래 위에 무릎 꿇고 말
　그 열사의 땅

　살아 지금, 세상 소란케 한 혀
　살아 지금, 먼지 분분케 한 다리
　살아 지금, 찌꺼기 산이 되게 할 몸
　꽁꽁 묶어 닫고
　한 덩이 의태이던 육신
　모래의 땅에 내어 널리라
　개미떼 매뚜기떼 주린 이빨들 불러 뼈 한 자루로 남으리라
　하얗게 웃으리라

　모래 덤에 반쯤 묻혀 반쯤만 정신의 눈을 뜨고 아라비아의 왕자라도 지나가면 휘파람을 불리라 케나Quena, 뼈의 피리로 신기루의 곡을, 살아 불러보지 못한 사랑의 세레나데를

사하라의 전생을 엿보다
— homo rapiens

걷고 걷는다 모래알 서걱이는
허걱- 허걱-
제 숨소리 속 모래 알갱이 씹히는
사하라에 닿는다

노을이 붉은 모래의 광야
가끔가다 자칼 발자국
어쩌다가 여우 발자국

길이 없어 다 길인 여기는 모래의 영토다
어느 변방의 전생에 나,
터번 두르고 지나쳤을 여기는 바람의 땅이다

나그네들 바위에 물을 끼얹으며
질문으로 굳어버린 전생,
잊히었던 바다를 끌어내고 있다
갑오징어며 앵무조개 요동쳤을 고생대,
그 바닷속 풍경이 화석 바위에
돋을새김으로 노출되는 사이

목소리를 들은 듯하다
"웬 놈이냐? 억년 어른의 잠을 깨운 놈이"
맞구나 여기는 모래도 바위도 화석도
모두 억천만 살은 묵은

내게서 말똥내가 난다
— homo ethicus

차마고도, 설산 넘는 길의 당나귀들 미션은 안장 위의
무게를 견디는 일이다

하얗게 아이라인 그린 눈으로 실실 웃는 듯한 눈매지만 바윗길에 발
굽을 다치며 긁히며 등짐의 무게에 속이 끓는지 앞서 가던 나귀가
철부덕- 내 동공에 말똥 한 덩이
싸대기 친다
풀 내가 난다

똥싸대기를 맞고서야 나를 지고 벼랑길을 가는 동키의 욱신거릴 말
굽을 생각한다 엉성한 갈기의 목에 수박씨처럼 붙어 피를 빼는 쉬파리
의 곤한 생존도 아린다만
쉬익- 쉬익-
쑥대로 파리를 쫓아주는 밖에는

"미안해 정말 미안해" 나귀에겐지 파리에겐지 나도 모를

선線의 미학
— homo aestheticus

하늘과 땅의 접지에 지평선이 누워 있다

있어도 없고 없어도 있는
선의 비의秘意
찔레의 5월은 벌 떼 붕붕대는 평원
지평선의 시간은 정지에 가깝다

아무도 그은 적 없는 선
누구도 의심한 적 없는 선
없으면서 있는 존재의 이름을
누가 맨 처음 불렀을까

몽상과 현실 사이,
영상 이미지를 구현하던
타르코프스키*의
정지화면에서 나, 오래 서성인다

멀리서 있지만 가까이서 없는 역설의 접점
없는 존재의 있음이라니
북해도 설원 아득히 누워있던 한 금, 지평선

---

* 러시아 예술영화 감독.

머나먼 스와니를 위하여
— homo movence

　그 마지막, '가지 않은 길'을 위해 구름밭 한 뙈기 가꾸고싶다 구름의 씨앗을 분양받아 솥 한 장만하게 배양해도 좋을 것이다 '나비'라거나 '붕붕이'같은 이름도 주고 언제일지 길을 나섰다가 급하면 양탄자로 타고 툰드라 쯤에선 구름이불 한 채로도 좋으리 마음이 얼룩덜룩 떠 있는 날은 별 시나리오 없이 구름을 불러

　"나비야 가자 모래의 숲, 백천만 평 바람의 땅으로"

　나, 발끝까지 아날로그 신봉자, 호모 노마드다 디지털의 특이점에 닿아 그대들이

　"난 생각하지 않는다 그럼에도 나는 존재한다"

　희희낙락, 사물이 되어갈 때 나, 나비와 죽지 않는 목숨을 소비하러 마지막 사막여행을 떠날 것이다

　우리는 떠도는 구름의 별
　모래의 은하, 얼음의 은하
　경계를 지우고 다닐 먼지의 별이니

　나, 멀리를 유랑하는 에우리알레, 우리 유목의 노정은 봄밤처럼 가볍지 않겠는가

눈표범
— homo empathicus

히말라야, 무자비한 산악에 눌러앉은 눈표범
그의 의도는 의문투성이지만
나를 돌아보면 금방 답이 나온다

아무 볼 것도 먹을 것도 없는
허허 사막으로 떠나고 싶어 안달하는 나를 봐봐
설표도 그랬으리
험준한 고지대 아이맥스, 푸른 양을 기다리는
그곳이 그냥 마음에 들 뿐

히말라야, 만년설도 사라지는 중이라니
몇십 성상 후
어디서 그를 만날 수나 있을까
암벽에는 고대인이 새긴 눈표범의 암각화,
그의 고향인 걸 알겠는데

해발 오천의 어둑신한 능선 위, 매화 문양의 그가
바람에 맞서 세상의 시간을 스캔하고 있다
곧 닥칠 폭설의 징후를 감지하며

마음의 서쪽
— homo solus

길은 혼자 떠날 일이네 바람처럼 구름처럼 훠얼 훨,
끈끈한 일상
그대들의 언어와 체취와 관계로부터
친근한 포만으로부터
성곽 속의 태평성대로부터 온전히 해방될 일이네

먼 길일수록 혼자 떠돌 길
외방의 비린내며 땀내, 속이 꼬이다가
뼈 시린 바람 따귀도 맞을 일이네

지친 들바람 되어 세상의 변방 소금밭을 돌아치다 바람 든 무릎, 어르고 달래며 모르는 나라의 서러운 지옥, 몇 장 더 접어 품고 홀로 절뚝이며 절뚝이며 돌아올 빈집,
전화 한 통, 글자 한 귀 없이도 사는 일이 다 단조의 '비창'은 아니어서 현관 앞에선 안도의 무곡舞曲풍으로 거짓말처럼 귀가할 일이네

달빛 내리던 모래의 섬
— homo artex

모래섬의 창밖 풍경은 을숙도입니다 새들의 낙원, 갈대 사이로 덤불
해오라기도 봄날을 찢어낼 듯 날카롭던 개개비의 세레나데도 읽히는
숲은 그때나 지금이나 갈대밭

을숙도의 봄은 암내 무성하고 목숨들 부산합니다 갈대 순이 쫑긋쫑
긋 올라오는 봄날이니
청다리 도요가 경중경중
먹이 사냥에 나서는 여기는
낙동강 하구
날마다 흘러온 모래가 지도를 바꾸는데요
모래 한 알의 머나먼 여행을 생각해요
아득히 먼 그때는 바위였고
더 오래전엔 산이었을 모래알들의
지독히 늙은 나이를

멧밭쥐를 아시나요? 십중팔구 모르실걸. 푸른 갈댓잎을 건너다니는
녀석의 덤불 집이 동그라니 비었네요
7g의 요 작은 미니미 쥐
막 피기 시작한 튤립 꽃잎 속에서
낮잠이라도 든 걸까요
고급진 녀석의 일상이 넘나 향기로와 저어기 모래강 한쪽이 붉노을
이네요

화석
— homo noeticus

바다를 보았다
물결 속 갈피를 들추어 제 둥글게 말린 몸 스윽 밀어 넣었다가
쑥벙, 다시 뒤로 나앉는 앵무가 보였다
앵무 아래 삼엽충도 유유히 잔발을 하느작대며 행성의 원시 해양에
대하여 해설을 덧붙이고 토를 달지만 그의 수다는 들을 만했다

잘 군은 바다를 보았다
깻묵처럼 눌리고 접힌 누 억년의 유적지, 고스란히 보존된
소금기 밴 몇 토막의 바다,

고요의 형식으로 장전된 박제된 씨앗들이다 먼 후일 분명 깨어날 것
들이 지금은 몽유의 몸짓으로 의문투성인 유아들의 종알거림 사이를
헤엄치고 있다 경쾌하다
아이들은 의미를 몰라도 유리면에 바싹 눈을 대고
앵 °무 °조 °개 °

또박또박 명패를 읽어 낸다 더 도드라지는 화석의 무늬들

뭐가 있어요?
돌 속에 예쁜 조개가 샤방샤방 들어 있어요
어때요? 죽여줘요

한 떼의 어린 미래들이 빠져나간 해양관은 적막하고 소임을 끝낸 바

---

* 고생대 오르도비스기의 두족류.

다는 지느러미를 거두어들인 채 한나절 더 굳으며 제 안을 꼼꼼히 들여
다보는 중일 게다
　몽돌이며 조개, 가마우지, 혹등고래의 노래, 해조음, 내게
　바다는 철썩이고 철썩이는 기억이었다

바다가 우리를 데려가리라
— homo esperans

얼음의 땅, 그곳에 가고 싶다
그곳에 가 황제의 숲을 방문하고 싶다
눈이 안 닿을 빙토 위
숲은 울울창창 서 있고 하늘대는 털,
하염없이 바람 부는 쪽으로 흩날릴 것이다

움직이는 황제의 숲을 알고 있다
부리를 묻고 눈 폭풍을 기다리는 것들
주황색 목도리의 황제는 연미복 차림
우아하게 걷고 품위 있게 사랑을 부르리라
황제이니까

따뜻한 해풍 따위 등 따숩고 배부름 따위
헛것을 꿈꾸지 않으리
아버지의 아버지의 아버지가 그리했듯 하얀 모래 알갱이처럼 바스러
질 만 년 눈밭에서 나, 사하라의 모래폭풍을 맞고 섰듯 눈 폭풍을 맞고
섰을 것이다
지금은 숲이 알을 품을 때
우주 하나씩 발등 위에 모시고 황제는 아버지의 시간을 견디고 섰을
지도 모르는데 얼음송곳 찔리는 맨발 위에 기도를 얹고 서 계신 이들의
성스러운 숲, 그곳

바다가 우리를 데려가리라

해협을 건너 몇 개 ,대륙과 적도를 지나 위도를 접고 접어

최단남극, 남위 75° 동경 165°
아버지의 시간이 눈부신 백설의 땅 그곳으로

길 위에서 길을 상상하다
— homo walkers

길은 역시 길이다 길 위에 서면 방도가 생기는 것이 직진도 후진도
아득히 되짚어 오르기에도 못 갈 바가 없으니

묵은 나이가 움푹 휘어진 시공간 위에서 좌표를 바꾸기도 하겠는데
삶의 길이란 오래묵은 물길만 같아서
　겹겹이 쌓이거나
　꼬깃꼬깃 접혀있다가도
　대문을 나서면
　길은 그래그래 길을 내준다
　어디 가는데? 따지지 않는다

생각 속에서만 둥지 틀었던 길이 있었다 무한 공간으로 내달리던 상
상 속의 길은 날마다 별의 경계를 지우고 태양계를 넘어 오르트 구름
쪽으로 성큼성큼 걸어 나가는 중이라니
　우리, 평행우주 곳곳을 누비며 또 다른 나를 방문할 우주의 길도 멀
지 않은 것이 자코메티의 다리가 날마다 길어지고 있으니

21그램의 길
— homo nomad

영혼의 거처를 생각한 적 있네
심장이라는 이름의 마음
그녀는 꽃 가락지만 같은 유두 끝이
영혼의 방이라 믿는 듯 했네

그녀가 죽으면 유방이 슬퍼는 할까? 하얗게 쌓인 국화 송이송이 그녀
를 애도할 동안 누군가 장례식장 뒤뜰에서 하늘을 보고 섰겠네 별빛 부
서지는 빛의 산란으로 오래 떠났었던 회한의 이름으로

맑은 영혼들이 떠나는 길엔
무반주의 쉔베르그를 청하고 싶댔지

흔들흔들 발도 없이 걷는 길
천장만장 꽃비 날릴 거긴
천공의 땅,
우주가 거기 계시네
은하 너머에서 너머로 건너갈 그녀의
21그램, 영혼의 무게
허공 속으로 흰 발을 디디었다 믿을

겨울바람[*]
— homo musicus

빈 들녘, 흙먼지 날고 달빛 출렁이는 것이
그가 도착하나 보다
계절을 예감하는 짧은 적막에 소스라치다
가랑잎 구르고
빠르게 격렬하게 바람의 음표들 질정 없이 날다
처연해라 난데없는 격정. 침울.

그의 어깨는 완강했고 꽃이라거나 수다한 잎이라거나 하늬바람 같은
부드럽고 섬세한 것들이 떠나면 거구의 그가 들어서던 걸 안다 나쁜 남
자의 무심한 표정으로 좀 많이 춥고 거칠지만 얼마나 달콤하던지 하염
없던지 이럴 땐 얼음장 밑 강물의 파장도 묵직하거나 투명해서 입이 무
거운 그도 손 이끌며
"가자 좀 더 멀리 북국으로"

그와의 긴 키스로 삼동이 가고 그도 가고 세상의 모든 물방울들 샛바
람 사이로 깨어나곤 했는데… 곧 대지는 내 푸른 붉은 아이들로 바글대
며 스프링마냥 튀어 오르곤 했는데…

뉘 사랑이 끝나 가는가

눈발 날릴 듯 달빛 쏠리다
저 음표들의 가파른
계단을 봐봐
텅 빈 대지의 건반
홀연히 사라지는 그림자들의 아우성을 내가 듣는다니?!

---

* 쇼팽의 에튀드 op. 25 no. 11.

한 영혼에 몰아치던 회오리, 설원의 눈바람으로 밤을 울다

유적지의 공중계단
— homo narrans

흰 모리타니*의 남자도 낙타도 본듯한데
어디로 갔을까
계단이 끊어지고 없다

저쪽 오래된 유적지와
더 오래된 황사가
한 만년쯤 서로의 시간을 붙들고 동행했을
모래의 길을 끌고 와
그들 오른 계단이 여기 와 문득 멈춘
혹여 4차원의 입구 아냐?

계단 위 문은 투명하고
열정과 열사의
바람의 전장이거나 모래의 성소일 저기
열린 문밖으로 허공이 내다보이는 저기,

광야가 비어 있다
오아시스와 신기루를 꿈꾸는 나의 적소는
길이 없어 어디나 다 길인 걸 알겠다

---

* 사막원주민들이 입는 헐렁한 남성복.

참고사항〈인간학명〉

호모 이우시안(homo iousian): 유사본질의 인간

호모 비아토르(homo viator): 떠도는 인간

호모 코메르시움(homo commercium): 교류하는 인간

호모 오피니오수스(homo opiniosus): 상상하는 인간

호모 라피엔스(homo rapiens): 약탈하는 사람

호모 에티쿠스(homo ethicus): 윤리적 인간

호모 에스테티쿠스(homo aestheticus): 미학적 인간

호모 모벤스(homo movence): 이동하는 적극형 인간

호모 엠파티쿠스(homo empathicus): 공감하는 인간

호모 솔루스(homo solus): 외로운 인간

호모 아르텍스(homo artex): 예술적 인간

호모 노에티쿠스(homo noeticus): 모든 생명체를 귀애하는 인간

호모 에스페란스(homo esperans): 희망하는 인간

호모 워커스(homo walkers): (두 발로) 걷는 인간

호모 노마드(homo nomad): 유목하는 인간

호모 무지쿠스(homo musicus): 음악하는 인간

호모 나랜스(homo narrans): 이야기하는 인간

2부

타카마츠의 새를 기억한다
— homo poeticus

우리가 그곳에 당도했을 때

바다는 일제히 새를 날렸다

나오시마 물결을 박차고 오르는 새떼들

은전銀錢잎 같은
은사시나무 이파리 같은
팔락이며 까불치며
햇살 속으로 날아오르는

한 판 빛의 퍼포먼스*

눈이 부시어 새의 발목을 보지 못했다

* 태양 빛이 공기 중 작은 입자들과 충돌하여 해수면의 빛이 사방으로 방출되는 산란현상.

향수는 어디다 뿌리나요?
― homo artex

주검과 함성이 함께하던 곳
낡은 콜로쎄움 둥근 광장, 단조의 음표들이
흩날리고 있는데요

희끗희끗 페인트칠 나간 의자 위 스테판*은
홀로 낡은 첼로를 켜고
홀로 날아가는 새를 보고
홀로 떨어져 나간 돌벽,
빈 자리에 꽂혀 우리별의 긴 서사를 떠올립니다

별은 속수무책 낡아가고
돌벽도 돌계단도 모래의 시간으로 이행 중,
이런 때 감성의 순도는 흐림입니다
그는 아직 젊어
물고기자리의 에로스,
수염이 검고 갈 길이 아득한데요
상념은 무너지는 시간의 돌무덤 곁이라니

시간이 없습니다
여자가 밀감 빛 달빛 아래
흐르는 뗏목 위에서 무반주를 들으며
"향수는 어디다 뿌리나요?" 질문했나 본데
"키스 받고 싶은 곳에 뿌려라"** 하는 은밀한 목소리
나, 그녀를 알아요

* 크로아티아의 첼리스트
** 코코샤넬의 답변.

유리알 유희
— homo aquaticus

큰 말뚱가리 선회하는 바이칼이다

불칸 바위 앉힌 알혼 섬은
바람도 물길도 무심,
자디잔 자갈 물속이 환하다
내 안조차 들킬 것 같다

물재비 뜬 물 한 구비
챙강-
수면이 깨질 듯 정결의 극치에
유리알 유희에 골몰 중인 듯한

물의 뜨락

삼천만 성상星霜, 바이칼 호는
북방 영혼의 뼈
깊이 모를 물의 고갱이, 유리알이다

외사랑
— homo eros

너무 멀지도 너무 가깝지도 않게

不可遠 不可近

딱 그만치의 거리에서
넌 네 일에 골몰하고
난 네 생각에 몰두하는 거지

세상의 사랑이란
일회용 휴지처럼 쉬 버려지는 것
더 많이 아프고 쓸쓸한 것
그러나 내 사랑은
누구도 아플 일 따윈 없지

나는 순결한 성처녀
너는 내 안에서 조각되는 피그말리온의
연인이라

장미원의 퍼포먼스
— homo aestheticus

빗소리 고와서 바람이 오고
생 초록의 꽃집 한 채, 우듬지 흔드는 빗소리에 작은 발목들, 수차水車
돌리기 바쁘겠네 꽃 한 송이 피울 연금술에 골몰하고 있겠네

덩굴마다 꽃이 오시는지
스미는 장미향에 공기 알갱이들
흡 ˚ 흡 ˚ 흡 ˚
가시 찔리며 팡팡 터지며 도도한 족속들의 마을을 배회하는 동안 손
타겠구나 긴장한 꽃가지들, 가시 탱탱 불리네

'모을 수 있을 때 장미봉오리를 모아라'

저들도 아는 모양이네
노란 꽃가루 경단을 싸 들고 온 꿀벌이라든가 청띠나방, 호랑나비까
지 장미원의 오월은 시방세계가 시끌시끌하네

꽃을 탐하다 피를 본 내 엄지와 검지 욱신거리는 계절에

---

*영국, 로버트 헤릭의 말.

나의 수많은 '첫'들에게
— homo aestheticus

마지막 완결의 시는 아직 닿지 않았다
이문인가
저문인가
낯선 문 앞에서 서성일지도 모를 일

아직은 땡볕 속을 걷고 싶고
귀신 들린 듯 미학의 주변을 기웃대는 난
현생의 불꽃
먼지의 불티들 날린다 해도
'마지막'이란 말 아직은 금기어다

'첫', 접두사는 언제 들어도 고결
첫눈, 첫 입술, 첫 남자, 첫걸음
아흐, 내 최초의 첫 원고지,
첫사랑일 듯 글썽이며 돌아보는 기억
마지막이란 보통명사를 접수치 못하는 난

나의 수많은 '첫'들에게
결코 지우개를 내 주지 못한다

밀레니엄 보고서
— homo esperans

언제 내 연두의 청춘 다 내다 팔았을까

짱짱하던 몸의 얼개들이 무너지고 있다
늘어지는 시간표는
출렁이는 속도에 워- 워-
젊은 날의 시퍼런 치기며 오기도
쥐뿔
푸른 늑대의 하울링 같은 기억 속의 잔상일 뿐

지하생활자, 굼벵이의 몇 년은 지축 쪽
23.5° 기운
순응의 자세임을 알겠다
그는 미라 되기 전 우화를 시도할 것이며
인간의 불가능을 실현한 족속으로
호모 사피엔스의 보고서에 기록될 것이다

'알' 하나
꼬리 가진 올챙이로 네발짐승으로 두 발로 달리다 세 발로 버텨야 한
다는 것 자판기에서 한나절 치의 인스탄트 한 끼를 공급받고 다시 달려
야 한다는 것

십일월엔 남녘 바다엘 가고 싶다
— homo sexcus

눈보라 속인 듯 바닷속이 하얘지는 땐
산호의 유생들이 떠다니는 번식의 철,
고리 산호 부채산호 양배추 산호
숲을 이룬 것만 같은데

한밤 바닷속은 먹고 먹히는 전장
어떻게 적과 나를 구분하며
먹이와 먹이 아닌 것을 구별하는지
먼지만 같은 목숨들이
오래고 오랜 시간을 쟁여
거대한 산호초, 섬을 만드는지

눈도 뭣도 없는 산호가
어찌 인간의 연월을 알고
어찌 달빛의 낭만을 눈치채고

11월, 보름달이 뜨면 산호들은 일제히
산란을 시작한다는데
숫눈 같은 수수 억만 알들이 여행을 떠난다는데

기억의 고집
— homo solus

답지 않게 자꾸 기억을 불러낸다
무슨 일일까
미련이 있는 것도 아닌데
딱히 그리울 것도 없는데
때 없이 글썽글썽 흘려보낸 기억을 더듬다니
왜일까 생뚱맞다
옛길을 걸어도 운전대를 잡아도 'Memory'*
입술이 먼저 노래를 끌고 간다

       Memory,
         turn your face to the moonlight
         Let your memory lead you
         Open up, enter in
         If you find there
         the meaning of what happiness is
         Then a new life will begin
            ~ ~

기억을 넘어서기 위한 전력질주다
가로수들 정신없이 뒤로 내빼고
신발이 벗겨지고
행인들이 '뭔 일?'하는 듯 돌아본다

꽃이 늘어선 낯익은 문 앞
아- 거기에 하염없이 서 있는 당신, 아직이야?

---

* 스트라이샌드가 열창한 곡.

43

세포가 기억하는 잠버릇

homo memoris

새도 외로울 땐
부리를 날갯죽지 속에 묻어 어미의 심장박동 같은 제 심장 소리에 잠
이 든다지

내가 잠을 부를 땐
혼자의 잠, 제 오른손을 베고 왼손을 둘러 목을 감싸 안아야만 잠이
살금살금 눈꺼풀로 내려온다는 것도
나만 아는 사실

내 잠을 부르는 백색소음, 철썩이는 파돗소리도 어린 날 바닷가의 풋
잠을 기억하는 탓이지

다락방이 있는 집
— homo cupiens

깊으나 깊은 내 안, 무허가의 오두막 한 채
그대 모르지
늑골 밑 붙박이로 지어 숨긴 길 없는 외딴집

비 오면 오는 대로
오도카니 빗소리나 듣다가
폭설 흩날리면 사무치게
그대 꺼내 안고 눈폭풍 속을 걸어 나가는

아마도, 그래 아마도
오래 반짝이다 사월 설화 한 토막
그냥 꿈, 꿈이어도 좋아서

그대도 모를 내 안의 오두막집, 기척 없이도
저 홀로 글썽글썽 눈이 부신 거야

우리는 무엇으로 존재하는가
— homo eros

　오랜 침묵 후 그가 어렵사리 입을 열었을 때 입가의 미세한 떨림을 본 듯하다
　나도 표 안 내고 떨고 있다는 걸 안다
　내 주변은 떨림으로 가득 차 있고, 있는 듯 없는 듯 떨림들이 부유하고 있다

　존재들에겐 모두 떨림이 있다

　산들바람이 올 때 은행잎들이
　고요한 떨림으로 반응하듯
　보이지 않는 빛의 떨림으로 해서
　시공간이 진동하듯
　진동은 차갑고 기계적이나 떨림은 뜨겁다 음악은 사랑은 그 자체로 떨림이지만 은혜하는 사람과의 별리는 심장을 때린 진동으로 죽으리만치 사무치게 파동쳐 나가는 것

　138억 년 전 그날 이후
　우리는 우리가 되었다
　만나고 떠나며 떨림을 주고받는 분주한 존재들이 되었다 세상에는 보이는 떨림보다 보이지 않는 떨림이 더 많다 나와 그대의 떨림으로 해서 우주는 사랑스러운 방주가 될 수 있었던

달아, 밝은 달아
— homo insipiens

뭐라?
달과 우리 초록별 사이가 매년
4cm씩 멀어지고 있다?

 언젠가는 달이 멀고 멀어져 지구의 위성 노릇도 못한다면 행성의 밤
은 노상 그믐이겠네 어둠만이 촘촘한

 어찌하나 시인 묵객들 달빛 내리던 감성의 골목도 궁핍해져 찌들고,
직박구리도 삼나무도 "에이- 재미없어" 세상을 버리는, 밀물도 썰물도
없이 개펄도 뻘 속의 낙지잡이도 해볼 일이 없는

 내 아들의 아득히 먼 아들들이 달도 달빛도 없는 황량한 세상에서 낭
만도 없이 살벌한 연애나 집착할까 겁나는

 이 사실은 창조주의 프로젝트 중에 빗나간 오발탄이다? 그것도 아니
라면 달아, 너는 아니?

상징의 연못
— homo designans

나의 비유는 늘상 좀 더 흐림 쪽으로 기울어 아날로그적 암유가 어울
리는 듯했다 단순과 은밀을 추수하고 싶어 때로는 목을 따고
　무시로 수족을 잘라
　보조관념만 방긋거리는 여긴
　진화된 말씀의 동굴
　내부가 있지만 내부는 안보이고
　외부는 없지만 있느니보다 강한
　다중 거울의 미학이다
　그대가 연못이라 부른다면 깊이가 통제되지 않는 늪이며 감성과 의
미가 현현顯現 방식으로 승차한
　여운이 긴 열차라 할까

　문장에선 아웃사이더, 비문으로 전락 될 수도 있겠으나 문맥에선 그
물에 걸리지 않은 바람, 함의가 눈부시다

일반 상대성이론의 실체
— homo progressivus

소심이 피어 난향,
한 방 넘고
두 방 날아 예까지 닿는다

저들은 향의 유전자를 어디 감추었다 꽃에 얹어 발현시키는 걸까 실
내 공기는 정지되어 있고 '이만치'는 짧은 거리가 아니다

향기의 미세입자,
홀연히 자취 없이 날아
내 후각세포를 건든다?

아닐 것이다
소심의 질량과 내 체질량으로 해서 휘어지는 공간,
맨발의 나와 난초 화분 사이,

그 우묵한 웅덩이 속으로 향기의 입자가 흘러들었을 거라고 내 지적
호기심이 아인슈타인을 베끼고 있다

설렘의 방정식
— homo studiosus

1
떨림이 파동이란 것에 앞서, 내가 아는 떨림은 설렘인데
빛은 파동이다
소리도 파동이다
파동은 진동이고
진동수에 따라 색이 달라진다
진동수에 따라 소리가 달라진다

물질은 입자이고 진동이고 책상도 건물도 내 노란 자동차도 고유 진동수가 있다, 다만 진동이 너무 작아 못 느낄 뿐
TV나 라디오 역시 고유 진동수, 주파수를 맞추어야 내가 기다리는 '옷소매 붉은 끝동', 젊은 정조의 설렘을 볼 수가 있다는 것

시각신호가 뇌로 이동하면 뇌는 머리통 속에 갇혀 있지만 신비하게도 바깥세상을 보여준다는 것 내 반고리관의 털돌기들이 누웠다 일어서기도 전에 아- 당신의 목소리임을 알아챌 수 있다는 것

2
모든 원자는 지문처럼 그 원자만의 고유 진동이 있다

현대는 밤조차 밝아서 별 보기가 쉽지 않은 때 1997년 3월, 주기가 4,000년이나 되는 '헤일밥' 혜성의 꼬리를 보고야 말겠다고 깜깜한 산속 언덕바지에 올라 모가지를 치켜 빼고 내가 본 불을 달고 가는 살별, "너는 봤니?"

과거의 우주를 현재에 볼 수 있는 놀라운 시대다 나 참 많이도 설레야 할 것 같다 내 떨림의 진동수조차 모른 채

민들레가 어느날
— homo superior

웃지 마라

너희 함부로 밟고 지나간 자리 우린 뿌리 더욱 깊이 박아 주먹 쥐고 일어난다

개똥쑥 개비름 개망초 꼭두서니 씀바귀 이름 따위야 너희가 쉽게 지어준 것 우리와 뭔 상관?

함부로 내뱉던 잡초라는 이름

약재네 건강식이네 돼지감자를 찾아라 개당귀를 찾아라 정원에 심고 화분에 올려 야생화라 고급지게 부르며 너흰 변덕을 부린다만 다 부질없는 일

잡초도 꽃이란 말이지

생긋생긋 피어나

산 너머 물 건너 씨앗을 시집보내지

"잡초는 잡초일 뿐이야- 라고?" "그래서 뭐!"

목숨 붙들고 사는 우리, 고단한 생일수록 번성하는 우릴

"인간아- 따라와 볼래?"

참고사항 〈인간학명〉

호모 포에티쿠스(homo poeticus): 시적인 인간

호모 아르텍스(homo artex): 예술적 인간

호모 아쿠아티쿠스(homo aquaticus): 수중적 인간

호모 에로스(homo eros): 성애적 인간

호모 에스테티쿠스(homo aestheticus): 미학적 인간

호모 에스테티쿠스(homo aestheticus): 미학적 인간

호모 에스페란스(homo esperans): 희망하는 인간

호모 섹스쿠스(homo sexcus): (몸으로) 교감하는 인간

호모 솔루스(homo solus): 외로운 인간

호모 메모리스(homo memoris): 기억하는 인간

호모 큐피엔스(homo cupiens): 욕망하는 인간

호모 에로스(homo eros): 성애적 인간

호모 인사피엔스(homo insipiens): 어리석은 인간

호모 데지그난스(homo designans): 디자인하는 인간

호모 프로그레시부스(homo progressivus): 우주적 인간

호모 스투디오수스(homo studiosus): 공부하는 인간

호모 수페리오르(homo superior): 초인, 영웅적 인간

3부

어제, 미래를 걸어가신 알선생님*
— homo superior

새벽에 잠도 안 오고 여자는 양자물리적** 소통 방식으로 아인슈타인을 불러냈다

아- 쩌기 박사님 반갑습니다
무엇보다 마음이 설레는 것은
박사님께서
"나는 인간의 일상사에 개입하여 운명을 좌지우지하는 신神은 믿지 않는다 그보다 모든 존재에 섭리와 조화를 부여하는 스피노자의 신을 믿는다"
라고 하신 점
제가 박사님의 그 말씀을 읽기 훨씬 전에
스피노자의 신神을 접하고 무릎을 쳤었거든요 그러니 박사님과 제 소견이 딱 들어맞는 것 아니겠습니까? 그런 의미에서 우리 악수라도 한 번!
청했는데
아인슈타인은 악수 대신 실죽 웃으며 헛바닥을 낼름 내민 것 같다
착각인가? 뭐 아무튼…

---

* 알버트 아인슈타인.
** 생각(마음의 파장)이 현실을 만든다.

무탄트*의 통찰
— homo alternatus

호주서쪽 'never-never land'라는 사막 오지에 자연 섭리대로 사는 크리족'은 문명한 현대인을 일러 돌연변이, 무탄트라 부른다

나, 기억이란 기억은 모두 보관소에 맡겼다
머리에 쌓고
가슴에 담고
뇌의 딴 주머니, 포스팃에 끄적여둔 것들을
내가 아는 세상의 모든 기억들을
나의 집사이자 관리자이신 우주神께 맡기고
물 흐르는 대로
구름 가는 대로
자연이 가리키는 쪽으로 살기로 한다

우리는 외계로부터 온 씨앗
최초의 순수로부터 문명이라는 '시간의 옷'을 얼마나 껴입었을지, 이제는 한 꺼풀씩 벗어 개나 주어 버리고 가벼야비 우주를 날아갈 일이다

더 높이 더 멀리를 헤매는 일도 이제는 그만!

우린 엔트로피 법칙**대로 허물리고 삭으며
소멸의 길을 걷겠지만
오늘은 오늘의 태양에 기대기로 하자
사는 법을 잊어버린 우리다, 역주행의 '회귀 방정식'을 찾거라 내일의
무탄트여

* 말러 모건의 체험적 소설 표제.
** 질서에서 무질서로의 이행법칙.

열역학 제2법칙[*]
— homo atomicus

　만물은 질서에서 무질서로의 진행원칙임을 증명이라도 하듯 내가 무너지고 있다 머리칼 헐렁해지고 보이지 않는 손에 의해 함부로 그인 빗금들이며 푸석해지는 뼈마디들

　성벽은 무너져가고
　아버지의 라디오는 직직거리며
　혼수, 은수저는 검은 녹
　붕괴되지 않는 제국이 있던가
　죽지 않은 자 있던가
　무질서라는 엔트로피의 총량은 상승곡선이라는 일방통행만을 고집하고
　서서히 혹은 빨리빨리 흘러가는 변질의 시간, 무참해라
　숨을 쥐구멍 하나도 피해 갈 여지가 없다

　억겁의 훗날, 우주도 행성도 스러지고 작은 우주인 나도 타일조각처럼 삭다가 부스러지다 원초적 본래의 모습, 원자로 흩어지겠지, 쯧

─────────
[*] 존재들은 모두 질서상태에서 무질서상태로 변질된다는 엔트로피법칙.

자코메티의 긴 다리들에게
— Homo evolutis

자코메티의 남자, 오늘도 걷고 또 걷는다
절대 포기할 수 없는 보폭
무릎 꿇을 수 없는 긴 다리,
허허 빈 천공을 뚫어낼 듯

육십 년을 내내 걷고 있다
숱한 문짝들을 지나
암흑물질과 광자들 지나 양자의 물결 속을 걸어가고 있다
소립자들의 문은 끊임없이 열리고 닫히고 아직 어느 누구도
들여다보지 못한
지평선 저 너머를
별들의 저 너머를 응시하며 걷고 걷는다
그 끝이 어딘지 알 수 없지만(쉿! 비밀 하나, 남자의 닉네임은 '보이
저'라고도 하는데)

새 천년의 무탄트, 암호를 풀다- 기사 한 토막 없었지만
화성, 목성을 지나 토성을, 해왕성의 고리를 곁 보고 지나고 지나고
지나 태양계 바깥, 오르트 구름 속을 걷고 걷도록
별 하나 지날 때마다 '알로호모라'* Mars, Juplter… 암호를 불러내며
열고 열고 또 열어

새들이 뼛속을 긁어냈듯
껴입은 시간의 무게를 살들을
비워내고 덜어낸

* 해리포터, 문열기 암호.

살가죽과 뼈만의 남자,
녹슨 청동 옷은 입었던가 벗었던가 기억 없이
되돌아 아득히 창백한 푸른 점,
먼지의 지구별을 일별하며 걷고 걸으며
자코메티의 긴 다리들에게

당신과 나, 그리고 우리는 그리 계속 걸어 나가야한다*

---

* 자코메티의 말.

다중의 세계, 수많은 나를 보다
— homo progressivus

수많은 방울의 다중우주 속 다중의 나를 보다
하나의 비누방울 속에 실린 채
대우주의 망망대해를 달리는 중이다 표류 중이다

비누방울이 커지고 같은 두 개의 방울로 분리된다면 나 또한 분리되
어 똑 닮은 아기우주에서 나와 나는 다르게 자라 다른 삶을 살아가고
있으리
　내 서재 안에 또 다른 차원의 우주가 있다 치면 언젠가 우린 차원을
기어코 넘나들 수 있을 것
　시공간에 축지법을 쓰듯 공간을 접고 구부려 어느 한순간에 드나들
수 있으리란 것

　아기우주의 나를 상상하다
　역마살에 끄달려 모래땅을 떠도는 나는 감자를 깎고 있는 나는
　없는 그에게 메모를 날리고 있는 시무룩한 나는

　은하의 푸른 희미한 신기루를 달리는 환상열차를 보다

상상나무의 마음산책
— Homo prospectus

우리 생명의 GPS인 DNA들은 끊임없이 분화하고 변이되어 지구 생명의 복잡다단, 오늘에 이르렀다

먼 훗날 우리 처음의 모습, 원자로 돌아가듯 온갖 원소의 집합체인 산이 바위로 자갈로 흙으로 억겁의 시간 위에서 이합집산을 반복하다 종당에는 태양도 성운도 개스도 흩어지고 무화되어 마지막 암흑에너지까지 소진 후이면 맨 처음의 모습, 텅 비었을 '空'

- '無'가 있겠는데, 뭐라- 없는 것이 있다?-

이는 말씀의 오류인가 현상의 오류인가 뉘 있어 그걸 보았으며 증명할 것인가
그럼에도 추적하고 유추하고 상상하여 내린
우주의 종말,
물리학의 판정은 단호하다 상상력이 계산한 확률이라고…
확률이란 본디 일어날 수도 안 일어날 수도 있는 일인 걸

머나먼 일은 잠시 보류,
나는 우주 안에 있고 내 안에 우주가 있으니
우리는 아는 것도 많고 모르는 건 더 많으니

지금은 백발의 바렌보임*, 두툼한 손이 짚어내는 슈베르트 심포니, '미완성 교향곡'에 빠져보자 그의 건망증이 3, 4악장 없이 완성 시켜버렸다니 이 얼마나 판타지한가!
내 건망증도 그런 멋 한번 부려 보는 기적을…, 쯧

---
* 1942년생 유대계 피아니스트이자 세계적 지휘자.

여기는 목성역입니다
— homo evolutis

지금은 2127년
은하의 성간열차 내에서 우주를 내다봅니다
지금 별내역을 지나 달리고 있군요
곧 신도시 마을인 화성역을 지나
목성역에 닿겠습니다

아, 저길 좀 봐봐요 창밖 붉은 화성이 확대되어 보이네요 내 그리운
아타카마 사막만 같은 화성의 지표면을 심장 떨림 때문에 망원안경이
줌으로 작동되었나 본데요

덜컹- 쿵, 엄마야- 소행성들의 소행입니다만 이건 상상이고 사실은
센스장치로 충돌을 미리 피해 가죠

여기는 화성의 어디쯤일까요

저기-지하로 통할 듯한 동굴 입구들 보이고 그 앞 정착촌일 듯* 반투
명의 돔들이 보이네요
돔 내엔 건물과 도로와 공원들이 조성되어있고 사람들은 값비싼 수
동 자전거로 혹은 값싼 태양광 전동 보드로 이동한다지요

내 옆자리 미모의 사이보그는 골똘히 상념에 빠져 있어요 솔직히 우
리가 기계에 밀리는 듯, 기분은 개떡이지만 가끔 예쁜 미소를 날려주어
밉상은 아니네요

---

* 2017년 UAE에서 2117년까지 건립할 화성정착촌 프로젝트를 발표함.

점차 거대 목성이 시야에 들어와요 부글부글 끓으며 휘도는 목성의 메탄 폭풍 기류가 덮칠 듯 코앞인데 첨단건축의 목성역이 허공중에 홀로그램으로 보이는군요

미리 보이는 특이점
— homo cooperativus

생긋거리는 푸르름에 마음 빼앗기고
찰찰대는 물소리에 귀가 젖는 동안
팔뚝 시계는 착각, 착각,
초침 소리, 귀가를 종용한다

'밥때야, 안 가?' '알아 안다고—!'
알람이 운다 이건 경고 수준이다
허둥대는 발걸음, 이미 기계는 나를 조종하고 있다

레이 커즈와일*은 2029년이면 전 인류의 지적 능력을 합친 것보다 앞
서는 인공지능 컴퓨터가 인간의 지능을 앞설 것이라 예단했지 그 지점
이 '특이점'이라고

그때가 되면 더 이상 AI를 통제할 수 없을 것
유전자 조작,
인간과 기계의 합체
그 후 뇌에 칩을 심고 내달릴 인류는
인간인가 기계인가
한심한 노릇이지만 그렇다고
"0과 1밖에 안 가진 이 기계 놈아 인류는 30만 년 동안 위기를 극복했
던 족속이다 너희는 인간이 부리는 하수인, 인간을 위해 복무할 뿐이
야"라는 생각은 절대 금기!

"그래 이건 희망이야

---

* 미래학자.

'디지로그' 시대*가 꽃피울 미지의 시간, 우리 함께 가자"

---

* 故 이어령 선생이 만든 명칭으로 디지털과 아날로그의 조화로운 시점.

상상은 현실을 만든다*
— homo movence

희야는 한들 너머 못 가본 마을의 아이들이 궁금했었다

엄니의 빨래통 앞에
쪼그려 앉은 여아에겐
이상한 게 많을 때였나부다
뽀글뽀글 소리 내며
큰 작은 비누방울들 자꾸 새끼를 치고 큰 거품 위엔 햇살인지 노을인
지가 내려와 빙글빙글 거품 따라 일렁이는데
단발머리 계집아이도
정지 문턱 밟고 선 털강아지 복구도
거품에 보인 듯 안 보인 듯 알쏭달쏭하던
옛날도 옛적
그리 시공이 내일로 휘어졌나 본데

희야는 여전히 쪼맨하지만 잘 컸고 잘 늙어가는 중이지만 여전히 사
건의 지평선 너머에 있을 또 다른 우주가 궁금하다
우리의 세계는 거품이다
거품 안에 밖에 또 다른 우주
우주는 무한하고
어쩌면 유한하고
급속히 팽창 중이니 보이는 것이 전부는 아니겠다

평행우주의 거품 속에서 나는 희야는
푸른 어린 나일까

---

* 생각(마음의 파장)이 현실을 만든다.

죽은 나일까

문득 내가 어느 미래에 그리움을 찾아가듯 웜홀을 지나 또 다른 나를
만났을 때 뭐라 첫인사를 건네야 할까 싶은

메타 세쾨이어*
— Homo prospectus

그는 아득히 우러러보아야 보인다

수십 미터 하늘 키로 일어서는
씨앗 한 알,
응축된 진화 파일이다
최적화된 압축파일이다

흙에 묻히어 싹을 틔우고
무한천공, 시간 겹겹이
하늘로 길을 내어
우듬지에 닿기까지 푸르름을 세우는
나무의 의기를 생각한다

나무의 수차를 어느 수족手足이 밟아
물이 오르는지
1m, 10m, 100m, 상하좌우,
못 갈 데 없이 치고 오르는 물길,
하늘로 오르는 강물

저 씨앗 속 유전자 좌표를 훔쳐 읽고 싶다

*세쾨이어: 미국 체로키족 현자賢者의 이름에서 유래한 나무.

특별시민의 어느 하루
— homo empathicus

비 온 뒤는 대낮에도
나,
뒤꿈치를 반 인치쯤 들고
보도블록 선에 물릴까 조바심치며
좀씩 옆을 힐끔거려 걷는데
황선도 백선도 없는 하늘을 보면
어떤 창공도 다 길이 되는
새,
저들도 절망할 무엇이 있을까
목을 빼고 보는 것인데

"삐이-ㄱ 당신의 인생사에 살생의
벌점 하나 추가 되었습니다"

어쩐지 물컹하다 했어
지렁이 배를 터쳐 한 목숨 보낸 거 아냐!
비 온 날은 블록과 블록, 그 사이
경계를 조심해야 해
한눈팔지 말라니까
차렷-
생각이 뻣뻣해지며
발걸음도 꼬챙이마냥 굳으며
그것이 평안의 길이라 믿으며
제발 구불텅대지 말기를

방심은 금물이야 도시에선. 지렁이나 나나

별에서 살다
— homo reciprocus

화성의 지평선 너머
떠도는 소행성에 다이너마이트를 심으면
허공에서 철을 캘 수 있고
백금도 리튬도 얻을 수 있다
파고 녹이고 제련까지 완성된다는 것

소행성 지하에서 이 일을 할 일꾼은
사이보그? 로봇팔?
캐낸 철을 가까운 화성으로 옮겨
돔을 세우고 발전소를 짓고 기계를 만들면

그대의 주소는 돔시티 3구역
실내에서 상치를 심고 꽃을 피울 것이다

주기가 목구멍까지 찬
 백두산이나 옐로스톤 화산이 잠에서 깨면 잿빛 낙진의 빙하기, 인류
멸종 전에 저 허공 속 우주로 나가야 한다는데 호모 사피엔스여 부디
자중자애, 기계들과 평화 체제를 구축할 일이다

 기계가 인간을 넘어설 날이 멀지않으니*
 그대의 배우자가 이쁜 기계일 수 있으니

---

* 인류학자 레이먼드 커즈와일의 예언. '21c 중반에는 인간과 기계의 경계가 없어진다.'

나, 어디서 와 어디로 흘러가는가
— homo viator

화성 거주인 신청을 받으니
20만 명이 넘었다고!

군이 비싼 기회비용을 치르고 대기도 미미한 사막성의 화성에 가 척
박한 환경과 싸우며 살고 싶은 욕망은 어디에서 연유된 걸까
아마도 콜럼부스의 후예거나 선구자적 성향의 치열한 정신력을 가졌
지 싶다 이도 저도 아닌 나는?

세계의 사막을 혼자 떠도는 여자
나를 돌아볼라치면 아무리 생각해도 천상의 낙원, '삼발라'에서 쫓겨
난 것 같지는 않은 것이
풍요와 풍광이 갖추어진 여행에선
어쩐지 내 걸음 굼뜨고 더듬대며 길을 잃는 것이 필시 너덜겅이나 흙
먼지 자욱한 외딴 별에서 왔지 싶은 것인데

매번 역마살 탓으로 돌리지만
광막한 모래의 땅에 서면
늘 보던 풍경처럼 잠겨들고 싶은 건지
내 고향, 척박한 모래의 혹성을 짚어 본다

모래알처럼 천공 가득 박힌 별 밭에 누워 내가 떠나왔을 별을 무작위
로 지목, 광속으로 시선을 쏴본다 사막에 오면

인류세*
— homo consumus

사람 여러분
인간의 힘은 모든 종種을 휘하에 두고 호령합니다
인간을 위해
인간에 의해
인간의 방식으로

한때, 야생의 날지도 못하는 새,
붉은 들닭이던 우리는
인류세에 와 인간 여러분과 함께 번영 중입니다 닭들은 맛있게 죽음
으로써 번성하는 진화의 방식을 택했다는 거 알고 계십니까

영계에 허기지는 여러분을 위해
어린 닭들이 연간 650억여 죽어 나가도 차고 넘치는
닭, 닭, 닭
우릴 두고 철새라 부르는 이도 있다죠 깃털도 머리도 쳐낸 채 죽어
가장 먼 거리를 이동하는 새라고

사람 여러분,
당신들은 고작 30만 년 전 나타나 점령군인 듯 지구를 장악했지만 그
래도 이 별에서 다른 종을 염려해주는 유일한 종種이라는 것.
종種의 부활을 위한 유전자 보관소, 종자저장소 같은 냉동방주 프로
젝트를 시행 중인 것은 이기심입니까 이타적 배려입니까

신을 흉내 내고 자기 함정에 빠지는 어리석음 없지 않으나 만물의 영

---

* 홀로세(현세)중 1945년 핵실험, 플라스틱, 이산화탄소 등 인류에 악영향 미친 지질시대.

장적 능력, 인정합니다 당부컨데
   인류의 식욕에 편승,
   함께 번성하겠다는 우리 닭들의 지혜도 잊지 마시길!
   닭대가리란 말 잊어주시길!

Blue Technology*
— homo technicus

냉동 바이러스를 해동시켜놓고 조서를 꾸미는 중이다

무슨 일로 내 오랜 잠을 깨웠는가?

당신은 훗날 지구촌 재앙이 될 조짐이 보이므로 조사 중이니 질문에 답하라. 나이는 삼만 살 정도 냉동 바이러스, 고향이 시베리아 동토층, 맞는가?

너희가 지은 이름 따위가 무슨 상관이란 말이더냐, 동토든 빙토든 아무거나 써 넣던가 말던가

당신의 이름은 피토 바이러스, 신장은 1.5마이크로미터 그대는 전염성이 있어 지구온난화로 극지가 녹을 경우 인류에 위협이 될 것이므로 정밀 조사가 필수다. 그리고.

시끄럽다. 됐고. 위협은 무슨, 지구온난화 같은 건 너희 인간들이 자연대로 산다면 별일 없을 일, 시간 낭비 말고 우릴 고향으로 보내거라

뭐 꼭 재앙이라기보다 너희의 독이나 생존 기술을 역이용, 냉동생명 연장이며 푸줏간 고기 대신 분해와 융합의 먹거리 기술에 의약품 개발 등 가성비를 높이 본 거지 덕분에 너흰 인류의 대 역발상, 블루 테크날 리지 산업에 공헌할 기회를 제공받는 샘이고 그렇지 아니한가?

이런 모지리들이 있나 온갖 것을 모사하고 흉내나 내는 못난 쫌팽이

---

* 자연을 모방하거나 자연에서 영감을 얻어 문제를 해결하는 기술.

같으니라고…. 인간족이란 먹거리나 축내는 큰 덩치라니… 그 큰 머리
통은 차라리 내다 버리거라

위대한 프로젝트
— homo religius

"우리는
이곳에 있기 때문에 이곳에 있다"

물리학자, 하인즈 파겔의 말이다 쭈뼛서는 혜안 아닌가! 그의 머리를 열어보고 싶었다

우리가 지금의 우리로 남아있도록 푸른 구슬의 지구별 족속들, 거대 불덩어리 신神인 태양으로부터 타 죽지도 얼어 죽지도 않는 딱 알맞은 거리에 지구가 위치함은 우연의 결과라는 것이 사실일까? 아무리 생각해도
우주의 계획된 프로젝트일 거라는 확신 쪽으로 기운다

"이 행성의 환경이 생명체에게 최적화되어 있다는 것은 결코 우연일 수 없다" 라고 한 누군가의 말에 손들어주고 싶은 것이 사실이었으니

어쩌면 우리는 신이 편애한 생명체로서 우주 특구를 누리는 족속일지도 모를 일,

열역학 제2법칙*에 반反하여
— homo resistance

나, 숨차게 걷고 있다 미지의 어딘가로

무슨 까닭으로 이리 서두르는 건지
운명은 아는 모양인데
몸은 아는 것도 같은데
시간은 뒤도 안 돌아보고 갈 길 가는 모양인데

그날이 그날 같은데 그날이 아니다
나는 나일 수밖에 없는데 어제의 내가 아니다

거울이 대뜸 내미는 것은
허물리고 있는 나
찰나 찰나가 내 면상에 빗금을 치며
이게 너야 무너져가는 너
이 우주 안에서
엔트로피법칙*을 피해 가는 존재는 없지

그래서 뭐? 그렇다 쳐도
나, 달릴 것이야
들숨 날숨 멎는 순간까지
미래로 씽씽한 미래로 자코메티의 긴다리로

* 모든 존재는 시간 속에서 질서로부터 무질서화로 변질되어 간다는 자연법칙.

참고사항 〈인간학명〉

호모 수페리오르(homo superior): 초인, 영웅적 인간

호모 알테르나투스(homo alternatus): 대안적 인간

호모 아토미쿠스(homo atomicus): 원자 인간

호모 에볼루티스(homo evolutis): 진화적 인간

호모 프로그레시부스(homo progressivus): 우주적 인간

호모 프로스펙투스(homo prospectus): 전망하는 인간

호모 에볼루티스(homo evolutis): 진화적 인간

호모 쿠페라티부스(homo cooperativus): 협동적 인간

호모 모벤스(homo movence): 이동하는 적극적 인간

호모 프로스펙투스(homo prospectus): 전망하는 인간

호모 엠파티쿠스(homo empathicus): 공감하는 인간

호모 레시프로쿠스(homo reciprocus): 상호 의존하는 인간

호모 비아토르(homo viator): 떠도는 인간

호모 콘수무스(homo consumus): 소비하는 인간

호모 테크니쿠스(homo technicus): 기술적 인간

호모 렐리기우스(homo religius): 종교적 인간

호모 레지스탕스(homo resistance): 저항하는 인간

4부

욕망이라는 환상열차*
— homo cupiens

출구가 없다
그러나 어떤 이는 희망을 이야기한다
이미 비극의 3막은 끝나 가고 지구별의 마지막을 향한 하강 구조는
직구만을 피하고 있을 뿐
복선은 군데군데서 포착되고 있다

그럼에도 어떤 이는 열망을 필설한다 행성의 진로에 대하여 신인류
라거나 굴뚝새의 자아에 관하여 시궁쥐의 도道에 연대하여 스스로 믿
는 만큼이 행복의 분량이라고…

보수도 진보도 없다 흥함도 폭망도 모른다
있는 것도 없는 것도 다 불이不二
절대 자아,
우주는 침묵 가운데 오늘을 보여줄 뿐

탐닉에 끝은 있겠던가
인류여 우리는 스스로 열병 같은 멍에를 쓰고 냅다 달린다
아주 익숙하게

* 욕망이라는 이름의 전차(테네시월리엄스 원작) 희곡명 패러디.

튀빙겐의 아픈 영혼
— homo creatura

슈투트가르트의 네카 강가다
횔덜린이 영혼을 앓던 집
강물이 근 200여 년을 흘러도 그 자리를 떠나지 못하는
횔덜린의 탑

그가 창가에 앉아 물 위에 시를 적으며
맞은편 프라타너스 숲 가지마다
걸어두었을 물의 시들
노을 붉고 가을도 젖었겠다

저만치 종탑의 뒷골목 연습장은 울툭불툭 발가락들이 팁토우 팁토
우, 무희가 될 때까지 사랑은 가도 박수가 객석을 들어 올릴 때까지 쓸
쓸한 갈망의 백조들, 꿈이 익을 동안 물너울 아래 송어며 버들치들도
점프 점프, 사랑에 닿기까지 물의 층계를 오르는 삶들도 그렸겠다
다리 난간에 기대어 횔덜린의 작은 우주를 생각는 동안,
저마다의 세계를 완성한 멀리 가까이 슈투트가르트 풍광이 키워낸
영혼의 천재들, 쉴러, 하이데거, 헤겔, 이름들을 불러 횔덜린의 잠언을
물결에 적어 보낸다

"위안 받아라 이 삶은 고통받을 가치가 있도다
지성의 아들인 나
사랑하고 고통받도록 태어났도다"

틈새의 미스테리
— homo kongfus

경계가 없다 있겠지만
밝음과 어둠 사이
무심과 관심 사이
흰색과 검은색 사이
너와 나 사이 성聖과 속俗 사이
분명 다른데 결과 결 사이에 다름이 분명치 않다는 것

어제와 오늘 사이
12라는 시계의 자판, 숫자는 약속일 뿐
예를 들어
항공기가 열차가 자정을 통과한다고 치자
12라는 계기판의 숫자는 분명 보이나
하늘이나 레일 위에
어제와 오늘이 나뉘어있다? 아니다

0점은 1점과 비슷하고 1점은 2점과 비슷하고 2점은 3점과 비슷하고… 비슷하고 비슷하고 비슷하고… 하고… 하고… 99점은 100점과 비슷하다 그러므로 0점과 100점은 비슷하다 0점과 100점 사이엔 어마어마한 차이가 있다? 놉! 한참을 중얼거려야 하는 좀 먼 거리가 있을 뿐 0점과 100점은 논리적으로 비슷하다 비슷하다는 것들 사이엔 경계가 없다
100점은 상찬을 받고 0점은 상처를 받는 인간사 통념이 존속될 뿐

플라스틱에게
— homo oilicus

진실로 그대의 잘못은 아닌데
우리, 죽음의 경계에 다가서고 있네
죽음이란 블랙홀로 달리고 있네

손발 맞지 않은 세기의 정책이
무기력한 지성의 결단이
우리네 흐릿한 의식이
나의 삭고 낡은 나이가 어둠의 문 앞에 서 있네

질기고 값싼
그대가 우리 행성을 알록달록 덮어가네
플라스틱이여 그대의 본명은 '아세틸렌'
나 쓰는 가방도 가전류도 옷가지도 다 석유, 석탄의 연금술이라고 그
러니까 탄소가 행성의 대기를 무겁게 끌고 가겠는데 어린 목숨들 사라
지고 있겠는데

마약 같은 그대를 끊자하고 집안의 플라스틱이란 플라스틱 다 내다
버렸는데 사흘 안 가 집안 곳곳 다시 들어앉는 그대여 나 그대를 끊어
내지 못하네

차차 방도가 나올 거야
잠시만 더 사랑하자
우리는 계속 미루고 있네
이제는 뚝! 참으로 끊는다 해도 늦은 이때

무거운 반성
— homo duplex

그가 제안했다 마지막 카드 한 장,
매년 100억 그루, 나무가 사라지는 지구촌에
매년 1조 그루씩 심는다면

'한 세대 안에 기후 위기 끝내기'
가능하다?

1조 그루의 나무를 심어라? 나, 한 그루나 반 그루나 심은 적 있던가?
식물 경배자라 자처하며 이파리 하나 꽂아 뿌리를 불러내거나 기껏 큰
작은 화분에 반려 식물 일백여, 목화씨를 발아시켜 2년이고 3년이고 하
얀 목화를 피워냈을 뿐

능선으로 능선으로 화염이다
건조 특보를 업고
불바람 휩쓴 산마루, 제 이름을 지우고 선
검은 둥치의 시신들 처연하다

불의 혓바닥, 바스지는 불티. 금강송에 혓바닥 감길라 애가 타는데
태백산맥은 검은 등짝으로 웅크렸는데 나, 개스를 태워 방을 덮히며 폴
리에틸렌 새 카고바지 슬쩍 걸쳐보는 시간, 어딘가는 여름 폭우로 사태
지고 어딘가는 잠기고 둥둥 떠내려가고
나, 고개 떨구고
세상의 기침 소리 듣고 있네

---

* 폴 호건의 저서.

쌍문동 어디쯤에서
— homo memoris

허름한 옛 골목길엔
밤이 되어서야 빛나는 것들이 있다
삭고 묵어
귀퉁이 모자라진 책장 같지만
개밥바라기 첫 별이 뜨고
사방 알전구들 켜지면
휘황해지는 산동네가 있다

4천 원 칼국수집도
취준생들의 소소한 쉐어하우스도
이때쯤은 달그락거리는 온기
뉘는 어머니가 그립고
뉘는 캥거루 아들이 밟히는
강물 같은 것이 여일히도 흐르는 곳

저녁 답 변두리 골목길은 어디 없이
반쯤 늙어서야 보이는
허무 빛깔의 그리운 것들이 있다

시간이 기록하는 인간사
— homo biblos

놈은 노상 사람의 행적을 통시적으로 줄을 세운다는 것이 문제다

누구든 공시적으로 동시다발로 수족이며 머리며 가슴이 제 각각 공간을 당겨 열 일을 한다는 사실, 뉘 모를까만 시간은 모른 척한다는 것

나부터 시시콜콜 짚어보자
내 오른손이 전언을 받아적는 동안 왼손은 국이 끓어 넘치지 않게 뚜껑 여닫기를 수행하고 눈은 아이에게 윙크를 날리며 두개골은 그 순간에도 한 시간 뒤에 작업할 보일러 수리공의 수고비를 계산한다는 거
위장은 위장대로 신장은 신장대로 허파도 간땡이도 뉘 지시 없이 책무를 다하는 사실임에도

놈은 사람의 횡적 능력을 경시하고 일상의 줄거리만 추려 종적 결과만 줄을 세운다는 것

그리하여 결국
파란만장 인생을 요약한다는 게 태어났다- 살았다- 죽었다.라고 마침표나 찍는 '생명 수행'이라는 고귀함을 쉬 잊고 간과하는 놈의 행실은 정녕 놈에겐 피가 돌지 않는다는 까닭이지 싶다

명상, 하나의 광대한 동공이 열리는
— homo spiritus

1.
고요가 사방 포진한 새벽을 응시하다. 내 안의 풀이파리 같을 흔들리는 사유를 보이지 않는 시간의 좌표 위, 어루며 쓰다듬으며 보라색으로 청보라색으로 닿고 있는 새벽의 하늘빛을

새벽과 아침의 경계에서 응시하다. 수면으로부터 피어오르는 희디흰 물안개에 풀잎들 젖으며 앳된 몸짓으로 묻히며 잠기며 스러짐을 이윽고 안개뿐인 지상의 언어는 고요 뿐임을-

하얀 적막을 응시하다. 내 안의 동공이 무한히 바라보는 고요는 막막하고 하염없는 울음 빛을 인지하다 먹먹하다

한순간 몸이 감지했던 소스라침과 사무침을 응시하다. 빙점의 이쪽과 저쪽을 +와 −라는 삶과 죽음의 문턱을 머나먼 허공을 달려온 쏟아지는 빛의 바늘들에 찔리는 안개 알갱이들이 풀잎 끝, 이슬방울들이

톡. 톡. 둥근 우주들이 투명한 우주들이 톡.톡. 꺼지고 스러지고 지고… 지고… 빛 속에 드러난 첫 양태의 이미지를

2.
으스름 빛 사물들을 응시하다. 없는 내가 가부좌를 틀었을 내가, 그림자일 듯 이미지일 듯 흐미히 스치다 무심과 유심, 무의식과 의식의 바깥은 허공, 근원의 허공에 이르다 이윽고 평상심이 담담히 돌아와 사물이 눈을 뜨는 일상의 발소리 듣다 지구별의 아침이 사방에서 걸어 나오는

층간소음 밀고자
— Homo opiniosus

밑에 누가 깔려 있나봐 느낌만인지 모르지만
누워도 뭔가 부스럭대는 기미
삐걱이는 바스락이는 속살대는 살 비비는
소리들의 진동

내 위에도 그 위에도 또 그 위에도 침대 아래 그 아래 또 그 아래로 열
다섯 개의 침대가 층층이 누워 낯모를 사람들의 잠이 포개어져 있나봐
밤마다 잠은 멀고 알 수 없는 짓눌림의 망상들

화장실 거울 속에 앉은 여자
날마다 봐도 생뚱맞은 면상이 낯선데… 어라-
쏴- 쿠르륵 위에서 물 내리는 소리
변기의 물을 뒤집어쓰고 머리를 터는 여자
모래가 푸수수 떨어지네

아까부터 허공에 홀로그램처럼 걸려있는
별이 빛나는 밤*
취한 빈센트가 붓질 중인가?
사이프러스나무 위, 구불텅구불텅 화면 바깥으로 나가려던 그 별들
이잖아
에이- 시끄러!
누가 층간소음 유발자인지 알겠어
양들과 양변기들을 세고 또 세는 백야가 화근이라니까

---

* 고흐의 유화 제목 차용.

소쩍새가 운다
— homo duplex

내가 또 안 보인다
내 의도와 무관하게 나를 지우거나 둘도 셋도 세우는
거울의 요즘 행태,

사방에 내 걸리는 거울, 수상하다
내 거울 속 여자들에 대하여
의사는 거울 울렁증이라며 안정제를 처방했었다
내 앞에서 고스란히 나를 반추하고 모자란 곳 어긋난 곳을 세심하게
짚어주던 맑은 날의 거울을 기억한다

신호등 밑에서. 지하철에서. 잠깐잠깐 포착되는 숱한 나는 퉁명스럽
거나 축축하다 울퉁불퉁 건너오는 거울 속의 무수한 '나'들
가슴 한 쪽이 늘 축축한 그녀
세상사 심드렁한 너.
해진 곳을 가리고 돌아서는 저 여자
식언을 식언으로 수습하는 저 남자

눈가시 날리며 비굴을 숨기며 업신여기며 없던 걸로 하며 들추어내
고 킬킬거리던 것들이 내 얼굴을 바꿔 달고 교차로를 건너오고 있다
아득히 지나간 내가 어제의 내가 오늘의 내가 20년 후의 내가 거울
속에서 발각 된다
보라매공원 늙은 느티나무 밑 실성한 저 여자 앞뒤 없이 주절거리는
것이 갈피 잃은 내 머리 속이 하는 짓거리, 꼭 그것인데

소쩍새가 또 운다

메시지 함을 연다
'김oo님 3월 16일 15시 S병원 신경정신과 예약되셨습니다'

아버지의 숲
— homo bookus

책을 쌓고 올라선다
사닥다리 대신이다
닿을락 말락 아등바등 자연대백과, 세계대백과사전 몇 권 더 얹힌다
사닥다리가 부실한 후손, 늘 머리를 숙이고 쭈그리고 앉아
골몰중에
책에 의지한다
책에 헌신한다
책을 경배한다

책에 관한 한 대물림이어서 책을 함부로 하지마라 책을 타넘지 마라
추상같은 말씀의 유적은 지금도 유효하다

사방 곰팡이 스는 책, 정 가운데 섬처럼 앉으셨던 아버지, 가솔 건사
는 늘 뒷전이시더니 웃대 아버지의 아버지 그 할아버지까지 훈장님의
내력, 묵은 돋보기에 확대경까지 꼬누시고 대 탐사라도 나서실 듯 백과
사전에 색색이 밑줄이나 그으시며 줄사다리 하나 없으시던 백수 아버지

책이 사람이다 책이 미래다
사람 경작으론 책이 제일이라 하셨다

내 책방은 오래된 숲이다 누대 곰팡이 후손들이 서식하고 있을 서재,
책을 쌓고 탐식하다 호구책을 놓치시던 아버지의 아버지 그 아버지의
기침소리 들린다 가문의 숲에 들면

행인3, 행인4입니다
— homo viator

시간은 흐르는 길입니다
좁혀지지 않는 시차의 거리로
그대는 거기 나는 여기

곁에 있어도 머나먼
심장에서 심장까지의 거리
걸으면서 흐르면서
어쩌다 손길 스칠 뿐, 그뿐

그대, 거기 붙박혀 탑 쌓기에 골몰하느라
나, 여기 꽃들의 수어手語를 읽어 내느라
길 위에 남은 생이 새 나갈 뿐

우리, 별 여행자의 긴 그림자는
저문 날의 삽화 같습니다

삽시간에 지나가는 우리들의 초상은
행인3, 행인4, 그뿐
간밤, 꿈을 적시며 잡았던 당신의 손
깨지마라 깨지마라 소용없이

행성의 아침이 황도 위에서 저뭅니다

불편한 진실
— homo economicus

생사가 걸린 단세포들의 생존 방식
프레파라트 속 아메바 한 마리 출렁 헛발이 나와 짚신벌레를 싸안는
줄 알았다 스윽 녹색 짚신벌레가 아메바의 몸속으로 녹아든다
승자는 제 헛발도 내질 속으로 넣고는 꿈틀, 돌아서는 품
이 질문을 할 눈치다

이보시오 인간 여러분
무슨 일로 거기 세상은 사철 시끌시끌하신가
수만 유전자다 진화다 우월하다는 여러분
전쟁 말고 한 일이 더 있으시던가
자연에 끼친 바 있기나 하던가

우리는 뭐냐고요? 여러분이 지칭하는 단 세포 버러지 아메바입니다
만 아시는가 몰라

단 한 개 세포로 먹고 싸고 자고
단 한 개 세포가 머리며 입이며 항문인 것을
종의 기원, 그 맨 처음엔 한 족속이던 우리,
무한 증식을 꿈꾸는 여러분
당신과 우리 중 누가 더 합리적 개체이신가
가성비 따지는 여러분이 어디 계산해 보시던가

귀엣말처럼 뇌었을 한마디도 못 들은 척 생물실을 나온다

암흑물질
— homo quaerens

나 위에도 옆에도 아래도 있다는데
나 그를 본 적이 없네
빛을 내지도
흡수하지도
반사하지도 않는 투명물질
있지만 보이지 않고 어떤 물질과도 작용 않는 제 자신
조차 작용함이 없는 그럼에도 존재한다는 암흑물질,

우리은하의 별들이 반시계 방향으로 항성을 휘돌 때도 암흑물질은
거꾸로 돈다는데
고속도로를 역주행하는 놈 같다는데 그럼에도 별들의 교통사고가 나
지 않는 까닭, 궁금한데

그야 별과 별 사이가
아득히 머나먼 당신과 나 사이만 같은
그는 빛과도 반응하지 않는 이상한 우주의 입자

"딱 너 같지 않니?"

벽 속의 아이들
— homo futūrus

사람의 마을은 늘 구름길, 머흘다* 열어도 열어도 늘어서던 문 앞에서 어머니 주문은 '이겨내거라' '버티거라' 당신도 그리 버티셨으리 빈곤한 양반가 아낙으로 어딘들 손 내밀 수 있었으랴 해 설핏, 한나절이 기울도록 딴청을 부리다 친정에서 죄짓듯 받아 온 겉보리 한 말, 오 남매의 입이 동굴만 같았으니…

오늘에 이르러 인류의 마을은 사방이 벽, 머흘다 어디쯤엔가 우리도 멸종 위기종으로 줄을 섰으리 함부로 헐고 쌓은 지구별, 억년 빙하 녹는다 해수면 아래 지도가 사라진다 홍수, 산불, 해일, 침출수, 더는 쌓을 데 없는 쓰레기, 여기 아닌 소행성에 버리자- 는 다른 행성으로 이주하자- 는 어이없는 언술이라니… 이 캄캄한 오늘, 이 몹쓸 고립감, 어쩌나?!

그래도 우리 땅, 초록별이다 다시 토닥토닥 흙을 다지고 푸나무도 삼나무도 심거라 아들아!

---

* 사납고 험하다는 뜻의 고어古語.

바다의 집시, 해파리
— homo artex

난 떠돌이 우주선, 바다의 방랑자다
투명한 의상으로 사해를 떠도는
춤추는 집시,
뇌도 피도 없지만 빛을 감지하고
당신처럼 빛을 좋아하지
이쁘다 건들지 마라 내 부드러운 촉수가 그대를 찌르리니 쉬 보지도
말거라

일없이 세상을 부유한다만 그대보다 행복 지수 높을 것

우리 생의 목표라면 한 끼의 먹이 외엔 욕심낸 바 없어 남의 것 탐할
리 없으니 촉수가 수십인들 손에 쥔 것 보이더냐 바다가 집이며 하늘이
며 무한의 무대인 것을

담쑥 담쑥 물을 안고 밀어가는 걸음걸음,
나의 춤이 뵈느냐
소담하게 바다를 걷는 해파리의 춤사위다 그대 부럽지?

참고사항〈인간학명〉

호모 큐피엔스(homo cupiens): 욕망하는 인간

호모 크레아투라(homo creatura): 창의적 인간

호모 쿵푸스(homo kongfus): 공부하는 인간

호모 오일리쿠스(homo oilicus): 석유 문명에 의존하는 인간

호모 듀플렉스(homo duplex): 이중인, 이중적인 인간

호모메모리스(homo memoris): 기억하는 인간

호모 비블로스(homo biblos): 기록의 인간

호모 스피리투스(homo spiritus): 영적 인간

호모 오피니오수스 (homo opiniosus): 상상하는 인간

호모 듀플렉스(homo duplex): 이중인, 이중적인 인간

호모 부커스(homo bookus) : 책 읽는 인간

호모 비아토르(homo viator): 떠도는 인간

호모 에코노미쿠스(homo economicus): 경제적 인간

호모 쿠아에렌스(homo quaerens):탐구하는 인간

호모 퓨처스(homo futūrus): 미래의 인간

호모 아르텍스(homo artex): 예술적 인간

신인류의 몽타주와 인간 원형 고찰

권성훈(문학평론가, 경기대 교수)

> 비어서 가지런하구나, 유리의 집
> 그대의 화법을 배우고 싶다
> ─「거울─homo iousian」중에서

1.

학명은 혁명이다. 사물의 명명자로서 규정된 학명은 한번 새겨진 이상 거세된 이름으로 변한다. 마치 발견된 운명처럼. 최초 발화자에 의해 사물을 증명하기 위해서 쓰이는 이름은 표시적 기능으로 존재한다. 다만 그것에의 의미를 단정적으로 부과함으로써 그 이상도 그 이하도 아닌 것이 된다. 존재를 존재로서 세속화하며 공유화시키는 것이 바로 학명이다. 학명이 뒤따르면서 사물의 원형은 그 이름 속에 귀속된다는 점에서 '언어의 통치'속에 본래의 가치와 고유성이 잠식된다. 요컨대 사물을 통치하는 언어는 학명이 있기 이전 존재와 이후 존재로 분화됨으로써 혁명은 끝나는 것.

그러나 시는 명명 자체에 목적이 있는 학명과 달리 명명과 동시에 새로운 의미가 발생한다. 기표를 통해 근원성을 추구하는 시는 거기에 도

달하기 위해서 본래성을 표방하면서 명명되는 것. 현존하는 복잡하고 다양한 세계에서 원형은 시뮬라크르simulacre 되면서 사물을 복제한다. 시인의 상상에서 생겨난 추상적인 것이 '복제된 언어'로 변화하면서 원형을 복원하는데 어디까지나 완전하지 못한 가운데 구축되는 것에 불과하다. 원래 근원성에 가 닿지 못하기에 원형은 상징이라는 구상을 통해 추상적인 것을 견인한다. 수사적으로 기표가 기의로부터 미끄러지는 것도 바로 사유를 완전하게 복원할 수 없기 때문이다. 이처럼 창작이란 충분하지 못한 데서 비롯되며 시인을 유혹에 빠트리는 것도 충족될 수 없는 언어의 채움인 것. 그것은 곧 원형성에 다가서기 위한 언어로 사유를 보충한다. 충족되지 않는 결핍의 상태, 미지의 것들을 불러 모아 하나의 형상을 만들어낸다. 이른바 원형을 모티브하는 시는 충동적으로 시인도 예측하지 못한 상태에서 무의식의 몽타주로 드러내는 것. 그로 인해 시는 기표로 현존한다. 이른바 시가 생산해 내는 기표는 상상의 우주 속에서 '수수만만 저 빛의 점들'을 향한 '어떤 빛의 손이 닿아' 가는 '점묘적 화법'과도 통한다.

　물론 거기에 시인이 완성해 가는 시니피앙의 몽타주를 통해 기호가 가진 "평면 위 3D, 입체의 좌표를 찍는 것이냐"의 문제이기도 하다. 그렇다면 '언어의 홀로그램'은 어떠한 사유를 가진 몽타주를 표상하며 충동적으로 지향하는 사유를 지지한다. 이에 '언어의 몽타주'는 사물라크르 된 유사본질을 충동적으로 향해 있다. 게다가 "정확히 좌표 찍고 재현해 내는 것이" 녹록지 않으므로 시인의 좌표는 언제나 실패하거나 완성하지 못하므로 창작이라는 여정을 벗어날 수 없다. 시인은 '말하는 자'로서 시적 주체인 목소리를 통해 '나'의 언술들로 진행된다. 그것은 시편마다 다른 기표들로 대체되면서 새로운 의미로 변화 · 생성되는 것. 다른 기표들은 본질적으로 연쇄적인 유사성을 통해 다른 '의미 되기'에 머문다.

　이번 김추인 시집『자코메티의 긴 다리들에게』는 인간에 대한 연쇄적 학명을 거부하며 의미 되기의 언어 통치로서 재현하고 있다. 각각 4부에 이르기까지 속명과 종명처럼 제목과 부재를 붙인 상태로 인간을 규

정한다. 1부「신기루는 몽상 중」, 2부「장미의 침묵」, 3부「암호를 풀다」, 4부「벽속의 아이들」 등 67편으로 이어지는 그녀의 시집은 인간 학명을 시적으로 재해석하는, 고투가 담겨져 있다. 그것은 "종의 기원, 그 맨 처음엔 한 족속이던 우리/무한 증식을 꿈꾸는 여러분"(「불편한 진실」)'을 향하여 명명 자체에 있던 학명을 의미론적으로 조명한다. 또한 시인이 가진 인간의 길과 존재의 원형 그리고 과거와 현재에서 나아가 미래를 진단한다. 이러한 인간 학명에 관한 연작 탐색은 인간을 이해하는 새로운 방식으로서 시적 몽타주를 구성한다. 게다가 그동안 한국현대시문학사에서는 볼 수 없었듯 흥미로운 시적 테마가 아닐 수 없다. 그만큼 그녀의 시력이 시대를 가로지르는 통찰로써 세계를 투사하는 데 수많은 시간과 열정을 소비했다는 준거로서 가치가 있다.

그것도 이미 규정된 인간 의미를 새로운 사유로 시화하며 인간 다중의 물음을 던지면서. 이를 통해 기존의 인간 의미를 빗겨 가면서 벗겨내며 또 학명이라는 확실성이 거부되고 부정되는 주체가 인간임을 상기시킨다. 학명을 통한 인간은 자기 기표를 획득하지만 언제나 그 언표는 확실하게 인간을 탑재하지 못하고 떠돈다는 것, 그녀의 시편에서 인간에 대한 중층적 반복 구조의 기표를 해부하면서 기계적인 외상적 실재가 만들어내는 인간에 대한 반복적 충동을 견인한다. 게다가 학명으로 소외된 불충분한 인간 의미에 대한 상실된 기의의 세부를 기표로서 재건하고 있다. 그녀의 새로운 인간 학명에서 벌어지는 "충동은 무엇보다 주체가 기표의 주체가 되어 상징적 구조에 통합되는 작용을 거치고 난 뒤 남은 잔여물로 이해할 필요가 있다. 하지만 그저 상실만 겪는 게 아니라 주체에게 지속적인 압력을 가함으로써 주체를 본질적으로 표지해주는 어떤 힘을 만나게 된다. 이 힘을 라캉은 다양한 이름으로 부른다."**

다양한 충동의 이름은 기표의 주체로서 사회에 상징적으로 편입되지만 나아가 그녀의 시에서는 주체를 표지해주는 이름 안에 있는 원형적 의미를 생산해 낸다.

* 이글에서 인간 학명의 부재는 생략하였음.
** 슬라보예 지젝, 자크 데리다 외, 강수영, 『충동의 몽타주』, 인간사랑, 2020, 62쪽.

2.

　그녀의 시편들은 인간에서 인간으로 이어지는 기표의 연쇄와 그 의미화 작용을 통해 외상적 실재를 변증법적으로 주체화한다. 외상적 실재가 "과거도 미래도 없는 현재"(「별 여행자의 니르바나」)만을 향해가는 타자들의 충동적 욕구를 기표로서 자극하여 완성시키는 것이 아니라 "아무것도 아닌 '無'"가 "눈부신 빈 자리"임을 지각하게 한다. 그러므로 우리는 누구나 "다중우주를 넘보는 나는 모래알 우주, 티끌"같은 은하수가 된다. 그것은 주체를 중심에 두지 않고 부분에 위치시킴으로 우주라는 대타자를 보완하면서 시적 자아는 소우주로 자리한다.

　그녀의 '무'는 "하늘도 바다도 신기루도 사라지는"(「아주 느린 편지」) 욕망의 윤리로 승화하는 주체성을 보여주며 기표의 재현 체계로 봉합된다. 그것도 "'어두운 방' 작업을 위해/'밝은 방' 재현이 먼저라는 사실은" 눈에 보이는 것이, 보이지 않는 것에 대한 빙산의 일부라는 것을 통해 있음을 덮고 있는 없음을 실감하게 만든다. 이처럼 "신기루처럼 바다처럼" 정처 없이 부유하고 흔들리는 인간의 한계를 인간을 통해 바라보게 한다.

　그렇다면 당신의 "살아 지금, 세상 소란하게 한 혀"(「케나가 노래할 신기루」)를 보라. "살아 지금, 먼지 분분케 한 다리/살아 지금, 찌꺼기 산이 되게 할 몸/꽁꽁 묶어 닫고/한 덩이 의태이던 육신"을 볼 수 있을 것이다.

　　하늘과 땅의 접지에 지평선이 누워 있다

　　있어도 없고 없어도 있는
　　선의 비의秘意
　　찔레의 5월은 벌 때 붕붕대는 평원
　　지평선의 시간은 정지에 가깝다

아무도 그은 적 없는 선
누구도 의심한 적 없는 선
없으면서 있는 존재의 이름을
누가 맨 처음 불렀을까

몽상과 현실 사이,
영상 이미지를 구현하던
타르코프스키의
정지화면에서 나, 오래 서성인다

멀리서 있지만 가까이서 없는 역설의 접점
없는 존재의 있음이라니
북해도 설원 아득히 누워있던 한 금, 지평선

— 「선線의 미학」 전문

선은 그 자체로 완성된 도道에 가까운 형상이다. 이원화된 '하늘과 땅'을 "있어도 없고 없어도 있는" 공적 세계로 표상할 수 있는 선線은 선禪을 나타낸다. 이 같은 일원적인 '선의 비의秘意'는 실체가 없이 실제를 숨기고 있기 때문에 미학적이다. 그것은 "아무도 그은 적 없는 선"은 '선線'으로, "누구도 의심한 적 없는 선"은 '선禪'으로 정지된 것같은 '지평선의 시간'이 된다. 이에 한 줄 깨달음을 통해 "없으면서 있는 존재의 이름을" 선이라는 '몽상과 현실 사이'에서 긋고 있다. 역시 "멀리서 있지만 가까이서 없는 역설의 접점"은 현실에서 "없는 존재의 있음이라니" 한 줄이, 한 금이 되는 지평선은 하늘과 땅의 경계를 지우며 동시에 갈라지게 한다.

이같이 그녀가 '북해도 설원'에서 '선의 미학'을 발견하고 있다면 '히말라야'에서 "바람에 맞서 세상의 시간을 스캔하고"(「눈표범」), '사하라의 모래폭풍' 속에서 "아버지의 아버지의 아버지가 그리했듯 하얀 모래 알갱이처럼 바스러질 만 년 눈밭"(「바다가 우리를 데려가리라」)을, '을숙도'에서 "모래 한 알의 머나먼 여행을 생각"(「달빛 내리던 모래의 섬」)하고, 심지어는 「화석」에서 "고요의 형식으로 장전된 박제된 씨앗들"을 발견한다. 게다가 화석은 "굳으며 제 안을 꼼꼼히 들여다보는 중일 게다"하면서. 시인의 몸과 동화된 "철썩이고 철썩이는 기억"과 함께 길을 내고 있다. 이 길은 그녀의 "무한 공간으로 내달리던 상상 속의 길"(「길 위에서 길을 상상하다」)이면서 "21그램, 영혼의 무게"(「21그램의 길」)를 가진 '영혼의 거처'로 통하는 길이기도 하다.

3.

1부에서는 인간의 길이 신기루같이 현상과 실제가 다르다는 것을 현시하고 있다면 2부와 3부에서는 공통적으로 삶의 주변에 존재하는 신성한 세부들을 추궁한다. 이 또한 주체의 상실을 통한 결여된 의미를 부과하면서. 거기서 "주검과 함성이 함께하던 곳"(「향수는 어디다 뿌리나요?」)으로 '시간의 돌무덤 곁'같은 이른바 '시간이 없는' 공간이다. 적요의 중심에서 그녀는 "바람도 물길도 무심"(「유리알 유희」)함을, "먼지만 같은 목숨들이/오래고 오랜 시간을 쟁여/거대한 산호초"(「십일월엔 남녘 바다엘 가고 싶다」)같은 세계를 만드는지, "그대도 모를 내 안의 오두막 집"(「다락방이 있는 집」)이라는 존재의 원형을 탐구하고 있다.

오랜 침묵 후 그가 어렵사리 입을 열었을 때 입가의 미세한 떨림을 본 듯하다
나도 표 안 내고 떨고 있다는 걸 안다
내 주변은 떨림으로 가득 차 있고, 있는 듯 없는 듯 떨림들이 부유하고 있다

존재들에겐 모두 떨림이 있다

산들바람이 올 때 은행잎들이
고요한 떨림으로 반응하듯

> 보이지 않는 빛의 떨림으로 해서
> 시공간이 진동하듯
> 진동은 차갑고 기계적이나 떨림은 뜨겁다 음악은 사랑은 그 자체로 떨림이
> 만 은혜하는 사람과의 별리는 심장을 때린 진동으로 죽으리만치 사무치게 파동
> 쳐 나가는 것
>
> 138억 년 전 그날 이후
> 우리는 우리가 되었다
> 만나고 떠나며 떨림을 주고받는 분주한 존재들이 되었다 세상에는 보이는 떨
> 림보다 보이지 않는 떨림이 더 많다 나와 그대의 떨림으로 해서 우주는 사랑스
> 러운 방주가 될 수 있었던
>
> —「우리는 무엇으로 존재하는가」 전문

침묵은 현존재만의 생존 방식이다. 또한 언어의 원형으로서 정적이 흐르는 상태의 시간은 비언어로서 존재한다. 역설적이게도 침묵이 주는 메시지는 언어보다 큰 울림을 생산해 내기도 한다. 「상징의 연못」처럼 "내부가 있지만 내부는 안보이고/외부는 없지만 있느니보다 강한" 그런 것. 때로는 말하지 않는 것이, 말해지는 것을 선행하는데 이는 음소거된 파장으로 존재한다. "입가의 미세한 떨림"이야말로 참아야 하는 말의 바깥에서 울려 나오는 파장으로 "있는 듯 없는 듯 떨림들이 부유하고 있다"는 음소거된 세계의 파장들을 불러모은다. 이같이 "존재들에겐 모두 떨림이 있다"는 것은 '시공간이 진동하듯' 살아 있다는 것의 표상이며 그것은 인간과 자연 그리고 우주가 "만나고 떠나며 떨림을 주고받는 분주한 존재"라는 사실이다.

이로써 "내 잠을 부르는 백색소음, 철썩이는 파돗소리도"(「세포가 기억하는 잠버릇」), 「설렘의 방정식」 같이 모든 설렘은 '빛의 파동이 되고, 소리도 파동이 되고 파동은 진동이 되어 '색'이 되고 '소리'가 된다는 것이다. 우리는 "과거의 우주를 현재에 볼 수 있는 놀라운 시대다 나 참 많이도 설레야 할 것 같다 내 떨림의 진동수조차 모른 채" 살고 있다는 문명에 내재 된 근원적 파동을 보여준다. 그러면서도 문명의 진화 속에

깃들여 있는 인간 존재의 생존 방식을 우주라는 원형을 통해 형상화하
고 있다.

> 수많은 방울의 다중우주 속 다중의 나를 보다
> 하나의 비누방울 속에 실린 채
> 대우주의 망망대해를 달리는 중이다 표류 중이다
>
> 비누방울이 커지고 같은 두 개의 방울로 분리된다면 나 또한 분리되어 똑 닮
> 은 아기우주에서 나와 나는 다르게 자라 다른 삶을 살아가고 있으리
> 내 서재 안에 또 다른 차원의 우주가 있다 치면 언젠가 우린 차원을 기어코 넘
> 나들 수 있을 것
> 시공간에 축지법을 쓰듯 공간을 접고 구부려 어느 한순간에 드나들 수 있으리
> 란 것
>
> 아기우주의 나를 상상하다
> 역마살에 끄달려 모래땅을 떠도는 나는 감자를 깎고 있는 나는
> 없는 그에게 메모를 날리고 있는 시무룩한 나는
>
> 은하의 푸른 희미한 신기루를 달리는 환상열차를 보다
>
> ──「다중의 세계, 수많은 나를 보다」 전문

이 시는 고유성이 사라진 복제된 다중의 세계를 보여준다. 여기서는
데칼코마니와 같이 완벽하게 대칭되는 구조로서 원본을 구별할 수 없
는 세계를 암시한다. "수많은 방울의 다중우주 속 다중의 나"처럼 모두
가 '나'이지만 하나도 내가 아닌 것으로 존재한다. 이럴 때 분간할 수 없
는 상태의 모호함 속에서 나만 있는 공간이 의미가 없듯이 나만 많은
공간 역시도 의미가 없기는 마찬가지다.

진정으로 존재한다는 것은 나만 참여하는 것이 아니라 나도 참여한
다는 점에서 존재의 이유가 있다. 그렇지만 '대우주의 망망대해' 속에
서 표류하고 있는 그녀는 다가올 미래를 "비누방울이 커지고 같은 두
개의 방울로 분리된다면 나 또한 분리되어 똑 닮은 아기우주에서 나와

나는 다르게 자라 다른 삶을 살아가고 있으리"라고 전망한다. 말하자면 다 같은 '비누방울'이지만 모두 다른 원소를 가진 것들의 고유성을 찾아간다. 그것은 앞서본 시편 「설렘의 방정식」을 통해 "모든 원자는 지문처럼 그 원자만의 고유 진동이 있다"는 것을 원형성을 전제로 해석할 수 있다.

반면 그녀는 존재 방식을 문제 삼으며 진화된 사유로서 미래를 향해 "절대 포기할 수 없는 보폭"(「자코메티의 긴 다리들에게」)이라고 한다. "지평선 저 너머를/별들의 저 너머를 응시하며 걷고 걷는다" 박제된 "새들이 뼛속을 긁어냈듯" 인간 존재도 "껴입은 시간의 무게를 살들을 비워내고 덜어낸" 상태로 "당신과 나, 그리고 우리는 그리 계속 걸어 나가야한다"고 언표한다. 그것은 「상상나무의 마음산책」에서 전언하는 '우주의 종말'을 "맨 처음의 모습, 텅 비었을 '空'"을 '無'의 관점에서 살피는 것이 아니다. 이를테면 "나는 우주 안에 있고 내 안에 우주가 있으니" 죽음은 나의 종말이지만 이로 인해 우주로 향하는 것이 바로 죽음이라는 사실이다. 따라서 "들숨 날숨 멎는 순간까지" 그녀는 "미래로 씽씽한 미래로 자코메티의 긴다리로"(「열역학 제2법칙에 반反하여」) "그래 이건 희망이야 '디지로그'시대가 꽃피울 미지의 시간, 우리 함께 가자"(「미리 보이는 특이점」)라고 요구한다.

이같이 그녀는 그동안 인간이 지배한 「인류세」의 과거가 "사람 여러분/인간의 힘은 모든 종種을 휘하에 두고 호령" 하면서 그것은 오로지 '인간을 위해' '인간에 의해' '인간의 방식으로' 살아왔음을 원인으로 한 파국적 결말을 보여준다. 이는 파국과 더불어 미래의 희망을 인간이 아닌 "종種의 부활을 위한 유전자 보관소, 종자저장소 같은 냉동방주 프로젝트" 등을 통해 해학적으로 요청한다. 바로「위대한 프로젝트」로서 "우주의 계획된 프로젝트" 속에서 "우리가 지금의 우리로 남아있도록 푸른 구슬의 지구별 족속들, 거대 불덩어리 신神인 태양으로부터 타 죽지도 얼어 죽지도 않는 딱 알맞은 거리에 지구가 위치함은 우연의 결과라는 사실"과 "이 행성의 환경이 생명체에게 최적화되어 있다는 것은 결코 우연일 수 없다"는 것을 통해 "우리는 신이 편애한 생명체로서 우주 특구를 누리는 족속일지도 모를 일"이라는 점이다. 그러면서 반성과 회망을 동시에 나타내면서 인간의 생명은 원형적인 측면에서 신으로부터 오는 것이며 초월자가 주관하고 있음에 주목하면서.

4.

출구가 없다
그러나 어떤 이는 희망을 이야기한다
이미 비극의 3막은 끝나 가고 지구별의 마지막을 향한 하강 구조는 직구만을 피하고 있을 뿐
복선은 군데군데서 포착되고 있다

그럼에도 어떤 이는 열망을 필설한다 행성의 진로에 대하여 신인류라거나 굴뚝새의 자아에 관하여 시궁쥐의 도道에 연대하여 스스로 믿는 만큼이 행복의 분량이라고.

보수도 진보도 없다 흥함도 폭망도 모른다
있는 것도 없는 것도 다 불이不二
절대 자아,
우주는 침묵 가운데 오늘을 보여줄 뿐

탐닉에 끝은 있겠던가
인류여 우리는 스스로 열병 같은 멍에를 쓰고 냅다 달린다
아주 익숙하게

— 「욕망이라는 환상열차」 전문

4부에서는 인류세가 가진 파괴적이고 폭력적인 근원적 성격이 욕망으로부터 비롯되고 있음을 상기시킨다. 인간이 브레이크 없이 속도를 망각한 「욕망이라는 환상열차」를 타고 왔기에 '희망'이라는 정거장을 놓쳐 버린 출구 없는 파멸을 파고든다. 시인은 말한다. 인류는 "이미

비극의 3막은 끝나 가고 지구별의 마지막을 향한 하강 구조는 직구만을 피하고 있을 뿐"이라고 강조하면서 "복선은 군데군데서 포착되고 있다"고 경고한다. 이는 근원적 인간 의미가 파괴되어 욕망으로 횡단하는 과정에서 윤리적 주체를 재촉한다. 이때 윤리적 주체는 인간에게 실체하는 존재의 상실로 텅 비어버린 주체를 설정하면서. 오갈 때 없는 '시궁쥐의 도道'처럼, '보수도 진보도 없다 흥함도 폭망도 모른체' '있는 것도 없는 것도 다 불이不二'라는 것을 인식하라고 촉구하는 것, 이에 "우주는 침묵 가운데 오늘을 보여줄 뿐"이라고, "우리, 죽음의 경계에 다가서고 있네"(「플라스틱에게」)라고, "죽음이란 블랙홀로 달리고 있네"라고, 인류의 파국적 자화상을 클로즈업하고 있다.

난 떠돌이 우주선, 바다의 방랑자다
투명한 의상으로 사해를 떠도는
춤추는 집시,
뇌도 피도 없지만 빛을 감지하고
당신처럼 빛을 좋아하지
이쁘다 건들지 마라 내 부드러운 촉수가 그대를 찌르리니 쉬 보지도 말거라

일없이 세상을 부유한다만 그대보다 행복 지수 높을 것

우리 생의 목표라면 한 끼의 먹이 외엔 욕심낸 바 없어 남의 것 탐할 리 없으니 촉수가 수십인들 손에 쥔 것 보이더냐 바다가 집이며 하늘이며 무한의 무대인 것을

담쑥 담쑥 물을 안고 밀어가는 걸음걸음,
나의 춤이 뵈느냐
소담하게 바다를 걷는 해파리의 춤사위다 그대 부럽지?
— 「바다의 집시, 해파리」 전문

이 시는 바다를 부유하는 '해파리'의 자유로움을 통해 욕망으로 스스로 억압된 인간을 페이소스하고 있다. 해파리는 '떠돌이 우주선'같은

형상으로 '바다의 방랑자'로서 '투명한 의상으로 사해를 떠도는' 마치 '춤추는 집시'로 비유된다. 거기에 "뇌도 피도 없지만 빛을 감지하고" 있는 해파리가 인간보다 더 우등한 동물이라는 점을 부각시킨다. 이를테면 "이쁘다 건들지 마라 내 부드러운 촉수가 그대를 찌르리니 쉬 보지도 말거라" 또는 "일없이 세상을 부유한다만 그대보다 행복 지수 높을 것" 또한 "우리 생의 목표라면 한 끼의 먹이 외엔 욕심낸 바 없어 남의 것 탐할 리 없으니 촉수가 수십인들 손에 쥔 것 보이더냐 바다가 집이며 하늘이며 무한의 무대인 것을" 통해 현실적으로 해파리는 담대함과 행복 그리고 삶의 여유를 보여주고 있다. 그러나 같은 무대를 살아가는 인류는 나약하고 불행하며 결핍으로 가득 찬 삶을 살고 있는데, 그것은 근원적으로 욕망에서 축성된 것임을 지각하게 만든다.

이 가운데 그녀는 "밝음과 어둠 사이/무심과 관심 사이/흰색과 검은색 사이/너와 나 사이 성聖과 속俗사이(「틈새의 미스테리」)에서 "매년 100억 그루, 나무가 사라지는 지구촌에/매년 1조 그루씩 심는다면"(「무거운 반성」)과 같이, "그래도 우리 땅, 초록별이다 다시 토닥토닥 흙을 다지고 푸나무도 삼나무도 심거라 아들아!"(「벽 속의 아이들」)를 위한 생태적 성찰 속에서 "무심과 유심, 무의식과 의식의 바깥은 허공, 근원의 허공에 이르다 이윽고 평상심이 담담히 돌아와 사물이 눈을 뜨는 일상의 발소리 듣다 지구별의 아침이 사방에서 걸어 나오는"(「명상, 하나의 광대한 동공이 열리는」) 다시 욕망하는 주체로서 부착된 생태적 담론을 정동적으로 제공한다.

이번 김추인 시인의 시집『자코메티의 긴 다리들에게』는 인간 학명에 관한 재해석 또는 새로운 의미로서의 반향으로 편성되어 있다. 그동안 인류가 인간 규정을 하면서 제거한 인간 원형을 복구하면서 근원적 담론을 탐색하기에 이른다. 이 가운데 기존의 인간 의미를 우회하면서 현존하는 인간 체계의 문제를 벗겨내고 있다. 선행적으로 기표화 된 인간 개념이 불완전하다는 것을 수많은 소타자들인 인간 학명을 통해 제기한다. 이것은 학명이 가진 충동적 만족을 넘어서 인간 담론 그 자체의 원형과 의미를 탑재하기를 바라는 대타자의 계시라고 할 수 있다.

그녀의 시편에서 대타자의 계시는 인간 학명에 대한 불확실성을 예언하고 근원적 주체가 기표 자체에 있는 것이 아니라 운명을 함께하는 실존적 존재라는 점을 발견하게 한다. 이처럼 모든 인간을 포함한 실존적 존재들은 신성한 세부들로 구성되어 있으며 '신성의 영역'에 속해 있다. 이 신성의 영역은 외부 또는 초월적인 것에 의지하는 것이 아니라 스스로 미래 인간 운명을 개척하고자 한다.

김추인 시인은 이를 긍정하는 가운데 존재마다 가진 기표를 고유한 의미로 지지하면서 개별적인 주체가 주체로서의 지위를 공동으로 확보하게 만든다. 그것은 학명으로 소외되거나 상실된 '인간 기의'에 대한 재해석을 통한 '시니피앙의 몽타주'이면서 '인간 원형'의 고찰이 된다. 그녀 모든 시편을 통과하여 도래될 '신인류의 화법'이 이 시집에서 첫선을 보인다.

김추인

경남 함양 출생.
1986년 『현대시학』으로 등단.
시집 『모든 하루는 낯설다』, 『프렌치키스의 암호』, 『전갈의 땅』, 『행성의 아이들』, 『오브제를 사랑한』, 『해일』 등 10권.
문예진흥원 창작지원금(1991), 서울 문화재단 창작기금(2011) 수혜.
만해'님'문학상작품상(2010), 한국예술상(2016), 질마재 문학상(2017), 한국서정시문학상(2021) 수상.
E-mail: cikim39@hanmail.net

자코메티의 긴 다리들에게

2024년 4월 9일 초판 1쇄 발행

지 은 이 · 김추인
펴 낸 이 · 최단아
편집교정 · 정우진
펴 낸 곳 · 도서출판 서정시학
인 쇄 소 · ㈜ 상지사
주 소 · 서울시 서초구 서초중앙로 18, 504호 (서초쌍용플래티넘)
전 화 · 02-928-7016
팩 스 · 02-922-7017
이 메 일 · lyricpoetics@gmail.com
출판등록 · 209-91-66271

ISBN 979-11-92580-31-9 03810

계좌번호: 국민 070101-04-072847 최단아(서정시학)
값 14,000원